JMP를 활용한

통계적 공정 관리

JMP를 활용한 통계적 공정 관리

발 행 | 2024년 1월 1일

저 자 | 이종선, 신익주

펴낸이 | 한건희

펴낸곳 | 주식회사 부크크

출판사등록 | 2014.07.15(제 2014-16 호)

주 소 | 서울특별시 금천구 가산디지털 1로 119 SK 트윈타워 A동 305호

전 화 | 1670-8316

이메일 | info@bookk.co.kr

ISBN | 979-11-410-6093-0

JMP 를 활용한 통계적 공정 관리

이종선, 신익주 지음

머리말

이 책은 실무 현장에서 통계, 데이터 분석이 가장 많이 활용되는 분야 중의 하나인 통계적 공정 관리(Statistical Process Control)에 대한 내용을 담고 있습니다. 통계적 공정 관리(SPC : Statistical Process Control)는 통계적 관점과 분석 방법을 사용하여 프로세스의 변동(Variation)을 개선하고 안정되고 능력이 있는 프로세스를 유지하기 위한 제반 관리 기법이라 할 수 있습니다.

통계적 공정 관리는 아래와 같이 세 가지 세부 영역을 포함하고 있으며, 이 책은 이에 대한 JMP 활용법을 담고 있습니다.
1) 실제 데이터와 측정된 데이터 간의 차이와 산포를 살펴보는 측정 시스템 분석(MSA : Measurement System Analysis)
2) 시간의 흐름에 따른 데이터의 안정성(Stability)을 검토하는 관리도(Control Chart)
3) 해당 데이터의 수준, 능력(Capability)을 고객의 요구 사항(Spec)과 대비하여 살펴보는 공정 능력 분석(Process Capability Analysis)

이 책은 크게 5 부로 구분되어 있습니다.
'1 부. 품질 관리와 공정 관리'에서는 통계적 공정 관리의 이해에 필요한 기본적인 개념에 대해 살펴보고 통계적 공정 관리의 3 대 영역인 측정 시스템 분석, 관리도, 공정 능력 분석의 순서로 2 부부터 4 부까지 포함하였습니다. 마지막으로 보다 실무적인 이해와 활용을 위해 세 가지의 사례를 담아 '5 부. 사례 분석(Case Study)'을 구성하였습니다.

이 책은 실무에서 이루어지는 데이터 측정의 순서 측면에서 책의 순서를 측정 시스템 분석, 관리도, 공정 능력 분석으로 하였습니다. 개념적인 이해의 측면에서 관리도와 공정 능력 분석을 살펴본 다음 측정 시스템 분석을 학습하는 것도 좋은 방법일 수 있습니다. 세 영역 모두 기본적인 개념과 JMP

활용법을 살펴보고 실무 활용성을 높이기 위해 '실무 활용을 위한 몇 가지 토픽'을 추가하였습니다.

'데이터 분석을 위한 JMP 활용'에 대해 시리즈로 책을 발간하고 있습니다. 지금까지 네 권의 책을 발간하였고 이 책이 다섯 번째입니다.
1) JMP 데이터 전처리와 통계 기초
2) JMP 실무 활용 가이드
3) JMP 로 시작하는 데이터 분석 기초
4) JMP 를 활용한 실험 계획법'과
5) JMP 를 활용한 통계적 공정 관리

앞으로도 열린 협업(Open Collaboration) 방식으로 계속 출간할 예정입니다.

이 책을 비롯하여 '데이터 분석을 위한 JMP 활용' 시리즈가 JMP 를 활용한 데이터 분석과 커뮤니케이션 향상에 도움이 되기를 기원합니다.

감사합니다.

2024 년 1 월 1 일
저자 일동

* 이 책은 『데이터 분석을 위한 JMP 활용 : JMP 실무 활용 가이드』 제 3 부 '통계적 공정 관리'의 내용을 토대로 작성되었습니다.

** 이 책은 2024 년 1 월 12 일 기준으로 일부 오타 및 오류를 수정하였습니다.

<목 차>

1 부 : 품질 관리와 공정 관리

2 부 : 측정 시스템 분석

3 부 : 관리도

4 부 : 공정 능력 분석

5 부 : 사례 분석(Case Study)

<이 책을 활용하는 방법>

이 책의 활용 방법과 관련된 몇 가지 사항은 아래와 같습니다.

1) 이 책은 2023 년 12 월 기준 JMP 17.2 윈도우 버전(영어)을 기준으로 설명되어 있습니다. 한글 버전 사용자라면 '파일 / 환경설정의 윈도우 관련'에서 표시 언어를 English 로 변경하여 사용하면 됩니다.

2) 이 책에 있는 모든 내용은 일반 JMP 기준으로 설명되어 있습니다.

3) 이 책에서 활용된 데이터는 JMP 내의 샘플 데이터(JMP 에서 Help / Sample Data Folder 에서 확인 가능)를 주로 활용하였으며, 모든 데이터는 JMP 네이버 블로그에서 다운로드 받을 수 있습니다(https://blog.naver.com/discoveringjmp)

4) 이 책의 내용과 관련한 오류, 질문 등은 아래 메일 주소로 문의바랍니다. (ikju.shin@jmp.com)

1 부. 품질 관리와 공정 관리

1 장. 변동의 이해
2 장. 통계적 공정 관리를 위한 JMP 기능

1 장. 변동의 이해

이번 장은 본 책의 서론에 해당되는 부분으로 품질 관리 및 공정 관리의 기본 개념이라 할 수 있는 변동(Variation)에 대해 살펴보고 변동에 대한 접근 방식으로서 통계적 품질 관리(SQC : Statistical Quality Control)와 통계적 공정 관리(SPC : Statistical Process Control)에 대해 비교해 보고자 한다.

1) 변동(Variation)
2) SQC 와 SPC

1. 변동(Variation)

모든 측정 결과는 본질적으로 다른 값을 가진다. 또한 동일한 대상물에 대해 동일한 방식으로 측정을 반복하게 되면 일반적으로 측정 결과는 그 결과값의 중간 부분에 그 값의 수가 가장 많고 최대값 혹은 최소값으로 갈수록 데이터의 빈도가 작아지는 패턴을 보인다. 이러한 패턴을 분포 (distribution)라고 한다.

통계학 분야의 구루중의 한 사람인 슈와르트(Shewhart) 박사는 프로세스의 변동이 두 가지 원인에 의해서 발생한다고 정의하였다.

1) 프로세스에 영향을 주는 수많은 우연한 원인
   (Chance causes, due to the myriad of things that affect a process)
2) 프로세스에 작용하는 규명 가능한 외부 요인
   (Assignable causes, due to an external force acting on the process)

또한 데밍(W. E. Deming) 박사는 변동을 줄이는 책임이 어디에 있는 지를 명확하게 하기 위해 이러한 원인을 다음과 같이 재정의하였다.

12

1) 우연원인(Chance Causes) 또는 공통 원인(Common Causes), 시스템 내부에 존재하는 원인

2) 이상원인(Abnormal Causes) 또는 특수원인(Special Causes), 시스템 바깥의 원인

경영진만이 시스템을 변경할 수 있으므로 우연원인에 의한 변동을 제거하는 것은 경영진의 책임이라 할 수 있다. 특정한 시스템에서 변동의 원인이 우연원인만 존재할 경우 통계적 공정 관리에서는 이러한 상태를 관리 상태(in Control) 또는 안정적(Stable)이라고 말한다.

공정에 어떠한 유형의 변동이 있는 지 파악하는 가장 대표적인 방법은 관리도(control chart)이다. 우연 원인만 내재해 있다면 공정 데이터는 분포의 역사적 경계[1] 이내에 있을 것이고, 이상 원인이 존재한다면 공정은 안정적이지 않게 되어 공정 데이터는 그 경계를 벗어나게 될 것이다.

예를 들어, 몇 가지 화학 원재료를 혼합하여 어떤 제품을 만드는 공정이라면 원재료의 변동, 원재료 혼합 시스템의 변동은 우연 원인에 의한 변동이라 볼 수 있고 혼합 설비의 고장, 원재료 혼합 순서의 변동은 이상 원인에 의한 변동이라 할 수 있을 것이다.

프로세스의 변동과 관련된 중요한 개념 중의 하나는 통계적 사고(Statistical Thinking)이다. 통계적 사고에 대한 가장 많이 알려진 정의는 미국 품질 협회(ASQ : American Society of Quality)의 정의인 데 통계적 사고를 프로세스 사고와 통계를 연관시키려는 학습 및 행동 철학의 관점에서 다음과 같이 정의하였다.

1) 모든 일은 상호 연관된 프로세스에서 발생한다

   (All work occurs in a system of interconnected processes)

2) 모든 프로세스에는 변동이 존재한다

   (Variation exists in all processes)

---

[1] 이 경계를 관리 한계(Control Limit) 또는 관리 한계선(Control Limit Line)이라고 한다.

3) 변동을 이해하고 줄이는 것이 성공의 열쇠이다

   (Understanding and reducing variation are the keys to success)

이번에는 변동에 대한 이해가 중요함이 널리 알려지게 된 에드워드 데밍의 깔때기(Funnel) 실험에 대해 살펴보자[2].

이 실험은 깔때기에서 목표물 위로 여러 개의 공을 떨어뜨리는 실험이며 목표는 공을 목표물(목표 위치)에 정확히 떨어뜨리는 것이다. 이 실험에서는 공을 떨어뜨린 후 결과를 기록하고 프로세스 조정을 위해 네 가지 다른 규칙을 사용한다.

1) Rule 1 : 보상 없음(No Compensation), 깔때기와 목표물을 그대로 둔 채 계속 실험

2) Rule 2 : 정확한 보상(Exact Compensation), 깔때기를 마지막 낙하로부터 반대 방향으로 이동

3) Rule 3 : 과도한 보상(Over-Compensation), 깔때기를 마지막 낙하로부터 목표물의 반대 방향으로 이동

4) Rule 4 : 일관성(Consistency), 목표물을 마지막 낙하지점으로 이동

[그림 1.1]

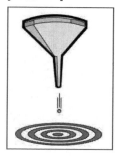

아래는 위의 설명대로 실시한 시뮬레이션 실험의 결과이다.

1) Rule 1 : 깔때기와 목표물을 그대로 둔 채 연속적으로 공을 떨어뜨린

---

[2] 이 부분은 JMP 온라인 교육 과정 중 'Statistical Process Control' 부분을 참조하였다. JMP Community(https://community.jmp.com)에서 검색하여 내용을 확인할 수 있다.

실험으로 전체적으로 보았을 때 관리선을 벗어난 경우가 거의 없음으로 공정은 관리 상태에 있다고 할 수 있다.

[그림 1.2]

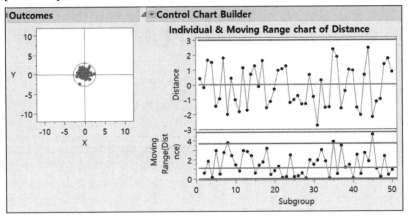

2) Rule 2 : 깔때기를 마지막 낙하로부터 반대 방향으로 이동하며 실험한다. 변동을 줄이기 위하여, 예를 들어 공이 목표에서 동쪽으로 5cm 떨어진 곳에 떨어지면, 깔때기를 마지막 있던 곳에서 서쪽으로 5cm 이동하여 측정하는 식이다. 공이 떨어진 위치와 목표 위치와의 오차를 줄이기 위한 조치가 취해진 것으로 프로세스를 목표에 맞춘 것이 아니라 이전의 위치를 기준으로 프로세스의 목표를 맞춘 것이어서 일부 지점이 관리한계를 벗어나거나 변동의 패턴(등락폭)이 Rule 1 의 경우보다 커졌다.

[그림 1.3]

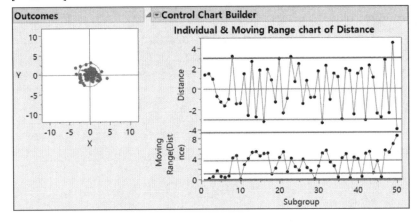

3) Rule 3 : 깔때기를 마지막 낙하로부터 목표물의 반대 방향으로 이동하는 실험으로 예를 들어 공이 목표에서 동쪽으로 5cm 떨어진 곳에 떨어지면, 깔때기를 목표 지점의 서쪽으로 5cm 이동하여 측정하는 식이다. 실제 결과가 목표보다 높을 경우 프로세스를 하향 조정하는 경우로 실행할 때마다 변동이 증가하고 매 실행시마다 의도한 목표를 중심으로 앞뒤로 선회한다.

[그림 1.4]

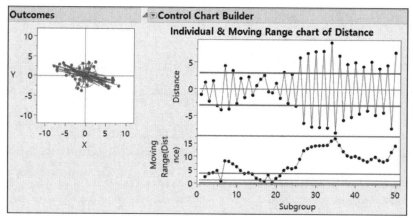

4) Rule 4 : 목표물을 마지막 낙하지점으로 이동하는 경우로 이전 결과를 기반으로 새로운 목표가 설정되는 것이라고 할 수 있다. 이렇게 되면 이전 결과와는 별반 차이가 없지만 원래 목표에서는 계속 멀어지게 된다.

[그림 1.5]

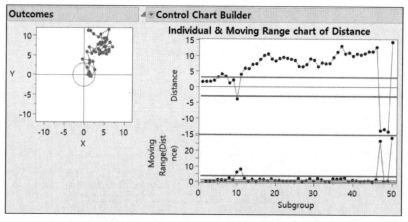

Rule 2, 3, 4 시험은 우연 원인(common causes)으로 인한 변동을 이상 원인(special causes)으로 인한 변동인 것처럼 간주한 것으로 우연 원인만 존재하는 시스템에 대해 목표에서 벗어나는 것을 보상하기 위해 프로세스를 조정하게 되면 변동은 줄어들지 않고 더 커진다는 것을 알 수 있다.

2. SQC 와 SPC

이번에는 통계적 품질 관리(SQC : Statistical Quality Control)와 통계적 공정 관리(SPC : Statistical Process Control)의 개념, 역사에 대해 슈와르트(Shewhart) 박사의 연구 중심으로 살펴보기로 한다.

통계적 품질 관리와 통계적 공정 관리에 대한 개념적 구분은 명확하지 않고, 학자마다 다른 견해를 보이지만 대체로 통계적 품질 관리는 최종 검사, 즉 생산 과정을 모두 거친 최종 제품에 대해 통계적인 측면에서 분석하는 것을 의미한다. 이러한 사후적인 품질 관리는 결함의 원인과 개선에 대한 특별한 통찰력을 제공하지 못하기 때문에 이에 대한 보완책으로 통계적 공정 관리라는 개념이 등장했다고 볼 수 있다[3].

1920 년대 초까지 Western Electric 사는 전화기 생산과 관련한 다양한 문제를 가지고 있었다. 당시 벨 연구소(Bell Labs)에 근무하던 슈와르트(Shewhart) 박사는 전화기를 만드는 프로세스에 대한 연구를 통해 일관된 프로세스만이 일관된 제품을 생산할 수 있음을 이해하고 1924 년 그의 메모에서 최초로 관리도(control chart)를 그렸으며 1931 년 '생산 제품의 품질에 대한 경제적인

---

[3] SQC 와 SPC 의 개념 및 포괄하는 범위의 차이에 대해서는 다양한 의견이 존재하지만 SQC 는 제품의 품질을 높이기 위한 접근이라는 측면이 강하고 반면에 SPC 는 제품 품질의 변동을 야기하는 프로세스의 산포에 보다 관심이 많다고 할 수 있다.

관리(Economic Control of Quality of Manufactured Product)'라는 책을 출간하였다. 이 책에서 슈와르트 박사는 관리되는 변동(controlled variation)과 관리되지 않는 변동(uncontrolled variation)을 구분하는 방법을 설명하였는 데, 이것이 오늘날의 통계적 공정 관리(SPC : Statistical Process Control)의 시초라고 할 수 있다.

슈와르트 박사는 Western Electric 전사적으로 관리도를 사용하게끔 하였고 그의 학생인 데밍(Deming)과 함께 이 방법을 미국 군대에 적용하였다. 2 차 세계 대전 등의 영향으로 당시 미국 군대는 전 세계에서 가장 큰 경제 및 상품 소비 단위였는 데, 이로 인해 통계적 공정 관리의 개념과 방법이 전세계적으로 활용되고 확산되게 되었다.

2 차 세계 대전 이후 데밍(Deming)은 '일본 과학자 엔지니어 연합(Union of Japanese Scientists and Engineers)'으로부터 품질 개선 방법에 요청을 받고 미국 군대에 적용하였던 품질 관리 방법을 전수하였다. 데밍(Deming)의 이러한 역할은 당시 일본 제품의 품질 향상에 크게 기여하였으며 1980 년대 들어와 일본 제품의 품질 경쟁력에 위기 의식을 느낀 많은 미국 기업들이 통계적 공정 관리 기법을 다시 적용하기 시작하였다. 이후 이러한 통계적 접근은 QbD(Quality by Design), 식스 시그마(Six Sigma) 등의 핵심 내용으로 적용, 발전되었다.

이 책에서 다룰 통계적 공정 관리(SPC : Statistical Process Control)는 전통적으로 제조 공정의 결과를 모니터링하는 데 사용되었는 데, 모든 시스템은 상호 연결된 프로세스이므로 제조 분야 뿐만 아니라 비제조 영역에서도 통계적 공정 관리 개념을 활용하여 프로세스의 결과를 모니터링할 수 있다. 즉, 앞에서 살펴본 통계적 사고(statistical thinking)는 제조 및 비제조 분야에서 모두 적용될 수 있는 통계적 공정 관리의 핵심 개념이라 할 수 있다.

통계적 공정 관리(SPC : Statistical Process Control)를 다시 정의해 보면, 통계적 관점과 분석 방법을 사용하여 프로세스의 변동(Variation)을 개선하고 안정되고 능력이 있는 프로세스를 유지하기 위한 제반 관리 기법이라 할 수 있다.

통계적 공정 관리는 아래와 같은 세 가지 영역을 포함하고 있다
1) 실제 데이터와 측정된 데이터 간의 차이와 산포를 살펴보는 측정 시스템 분석(MSA : Measurement System Analysis)
2) 시간의 흐름에 따른 데이터의 안정성(Stability)을 검토하는 관리도(Control Chart)
3) 해당 데이터의 수준, 능력(Capability)을 고객의 요구 사항(Spec)과 대비하여 살펴보는 공정 능력 분석(Process Capability Analysis)

[그림 1.6]

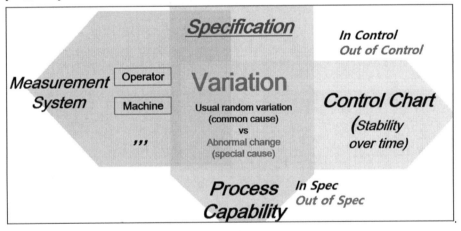

이 책에서는 통계적 공정 관리의 3 대 영역에 대해 각각 2 부 측정 시스템 분석, 3 부 관리도 및 4 부 공정 능력 분석에서 살펴볼 것이다.

2 장. 통계적 공정 관리를 위한 JMP 부가 기능

이번 장에서는 통계적 공정 관리를 위한 JMP 의 기능, 메뉴에 대해 살펴보고 통계적 공정 관리의 3 대 영역인 측정 시스템 분석, 관리도 및 공정 능력 분석에 필요한 몇 가지 부가 기능에 대해 학습해 볼 것이다.
1) SPC 관련 JMP 기능
2) 한계 관리(Manage Limits)
3) SPC 관련 열 속성(Column Properties)
4) 파레토 차트와 다이아그램

SPC 와 관련한 JMP 기능의 대부분은 **Analyze / Quality and Process** 아래에 있다. 해당 부분은 다섯 개의 단락으로 나누어져 있는 데, 첫 번째 단락인 관리도는 이 책 3 부에서, 두 번째 단락은 공정 능력 분석으로 4 부에서 살펴보며, 세 번째 단락인 측정 시스템 분석은 3 부에서 학습할 것이다[4].

[그림 2.1]

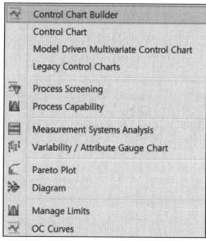

---

[4] [그림 2.1]의 내용 중 OC Curves(Operating Characteristic Curve, 검사 특성 곡선)에 대해서는 이 책에서 다루지 않으므로 JMP Manual 또는 저자의 블로그를 참조하길 바란다. (https://blog.naver.com/discoveringjmp/222303707439)

1. 한계 관리(Manage Limits)

Spec 을 비롯하여 통계적 공정 관리에서 활용되는 몇 가지 Limit 에 대한 관리를 담고 있는 기능이 **한계 관리(Manage Limits)**이다. 메뉴는 **Analyze / Quality and Process / Manage Limits** 이다.

'manage limits.jmp' 데이터에서 해당 메뉴에 들어가 두 연속형 변수를 선택하고 실행해 보면 다음과 같이 Spec Limits 를 비롯하여 네 가지 항목에 대한 옵션 기능이 있다. 이 기능은 통계적 공정 관리에 필요한 메타데이터(Meta Data)를 입력하는 기능이라고 할 수 있다.

[그림 2.2]

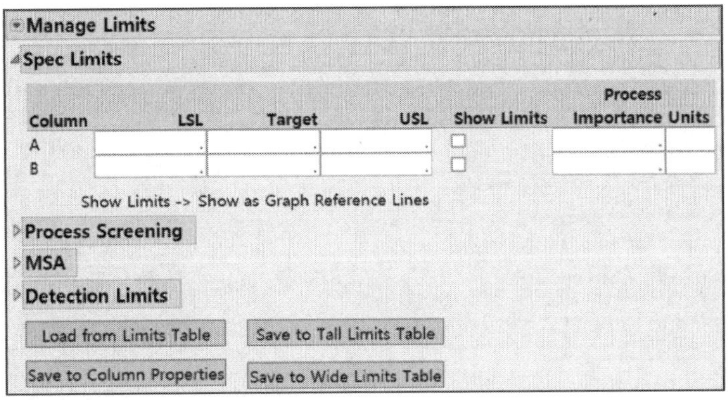

⚖ **Spec Limits** 부분에 Spec 을 직접 입력하거나 [그림 2.3]과 같은 별도의 Spec Table 이 있다면 하단의 **Load from Limits Table** 을 클릭하여 Spec Limits 에 Spec 을 반영할 수 있다.

[그림 2.3]

	Column	LSL	Target	USL
1	A	11	.	13
2	B	100	.	.

⚖ [그림 2.4]는 그 결과이다. 만약 Spec 을 직접 입력하였다면 **Save to Tall Limits Table** 또는 **Save to Wide Limits Table** 을 이용하여 Spec 이 입력된

별도의 테이블을 만들 수 있다. **Save to Column Properties** 기능은 입력된
Spec 을 **열 속성(Column Property)**에 반영하는 기능이다.

[그림 2.4]

Spec Limits				
Column	LSL	Target	USL	Show Limits
A	11	.	13	☐
B	100	.	.	☐

✍ **Process Screening** 은 **Process Screening(Analyze / Quality and Process /
Process Screening)** 기능에 필요한 옵션 설정 기능이다. **중심선(centerline),
지정된 시그마(specified sigma)** 및 **측정 시그마(measurement sigma)**
값을 지정할 수 있다.

[그림 2.5]

Process Screening		Specified Sigma	Measurement Sigma
Column	Centerline		
A	.	.	.
B	.	.	.

Process Screening 과 관련된 옵션은 해당 기능에서 **Use Limits Table** 을
선택했을 때만 필요하며, 이 경우 [그림 2.5]의 내용을 미리 입력하지
않았다면 Process Screening 기능 실행시에 아래와 같이 해당 내용 입력에
필요한 별도의 입력 창이 표시된다.

[그림 2.6]

Control Limits
Center   optional numeric
Sigma   optional numeric
▲ **Derived Sigma**
Derived Sigma = sqrt(Subgroup Size)*(UCL-LCL)/6
LCL   optional numeric
UCL   optional numeric
Subgroup Size   optional numeric

Spec Limits
LSL   optional numeric
USL   optional numeric
Target   optional numeric

๛ 세 번째 MSA 부분은 측정 시스템 분석을 위하여 필요한 Spec(또는 Tolerance) 등을 입력하는 기능이다. [그림 2.7]은 **Tolerance Entry Type** 에서 **Tolerance Range** 를 선택한 경우이고 [그림 2.8]은 **Lower and Upper Tolerance** 를 선택한 결과이다.

[그림 2.7]

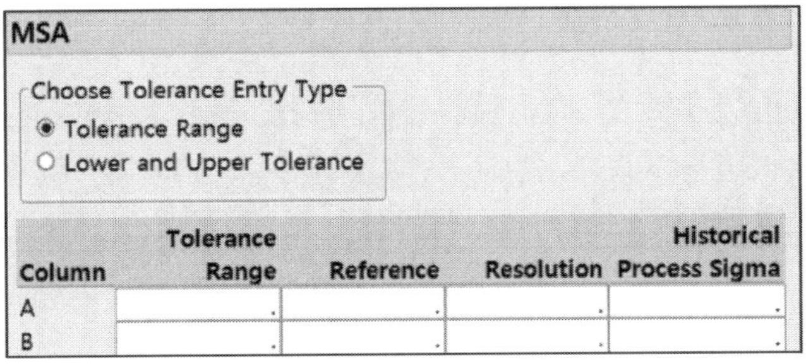

[그림 2.8]

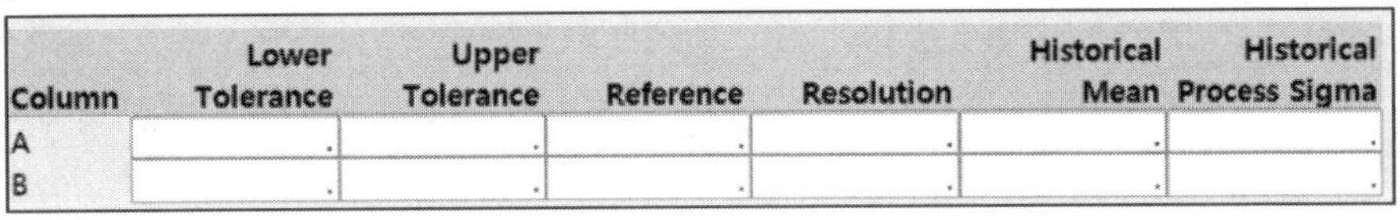

๛ 마지막 네 번째는 **Detection Limit(감지 한계, 검출 한계)**에 대한 옵션 설정 기능이다. **Detection Limit** 는 측정에 있어서 일정한 값 이상 또는 이하를 감지하지 못하거나 감지하더라도 감지된 값을 신뢰할 수 없는 경우, 이를 설정하는 옵션이다. Detection Limit 와 관련된 사항은 4 부 공정 능력 분석의 '실무 활용을 위한 몇 가지 토픽' 부분에서 추가적으로 살펴볼 것이다.

[그림 2.9]

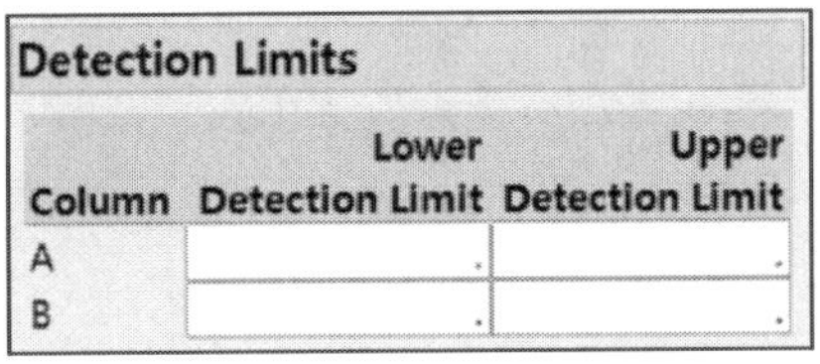

2. SPC 관련 열 속성(Column Properties)

열 속성(Column Properties)은 앞에서 살펴본 **Manage Limits(한계 관리)**와 거의 동일한 기능인 데, 메뉴를 이용하지 않고 데이터 테이블에서 열 속성으로 한계 관리의 내용을 바로 설정하는 방법이다.

특정한 연속형 변수명 위에서 우측 마우스 클릭한 후 **Column Properties** 를 보면 다양한 종류의 열 속성 기능이 있는 데, 그 중 SPC 와 관련이 높은 기능은 아래의 여섯 가지이다.

[그림 2.10]

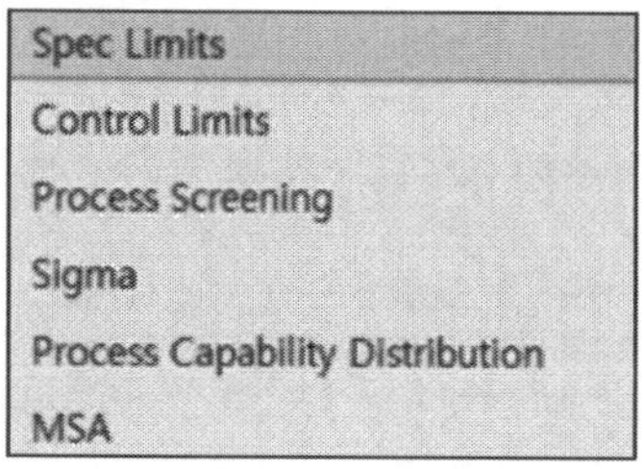

Spec Limits
Control Limits
Process Screening
Sigma
Process Capability Distribution
MSA

이 중에서 **Spec Limits**, **Process Screening** 및 **MSA** 는 앞에서 살펴본 Manage Limits(한계 관리)와 그 내용이 동일하므로 나머지 세 가지에 대해 확인해 보자.

Control Limits 는 관리도 종류별로 평균과 관리선 등에 대해 임의 지정하는 기능이다.

[그림 2.11]

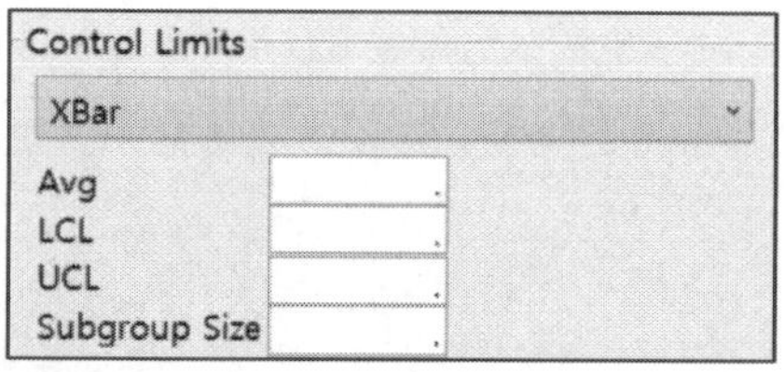

Control Limits	
XBar	▾
Avg	
LCL	
UCL	
Subgroup Size	

Sigma 는 관리도에서 관리선을 계산하는 기준이 되는 표준값을 측정값이 아니 임의의 값으로 지정하는 기능이며 **Process Capability Distribution** 기능은 공정 능력 분석을 할 경우 해당 변수에 대한 분포를 미리 지정하는 기능이다[5].

3. 파레토 차트와 다이어그램

통계적 공정 관리 또는 통계적 품질 관리에서는 QC 7 Tools, New QC 7 Tools 등에 대해 학습하게 되는 데, 그 중에서 **파레토 차트(Pareto Charts)**와 **다이아그램(Diagram)**에 대해 살펴보자.

1) 파레토 차트(Pareto Chart)

파레토 차트[6]는 항목별 빈도수를 막대 그래프(Bar Chart)로, 누적 빈도수를 꺾은 선 그래프(Line Chart)로 표현한다. 파레토 차트는 그래프 빌더(**Graph / Graph Builder**)에서도 그릴 수 있지만, 여기서는 **Analyze / Quality and Process / Pareto Plot** 기능을 활용해 보자.

'failure raw data.jmp' 데이터는 하나의 Column 에 불량 항목이 적혀 있다.

🖑 해당 메뉴에서 불량 항목을 **Y** 로 선택하면,

---

[5] JMP 에서 공정 능력을 분석할 경우 기준이 되는 분포는 정규분포이다. 반면 가장 적합한 분포를 선택하여 해당 분포 기준으로 공정 능력 분석을 할 수도 있다. 이에 대한 자세한 설명은 15 장의 2. 가장 적합한 분포에 대한 인식' 편을 참고하기 바란다.

[6] JMP 에서는 파레토 플롯(Pareto Plot)이라고 표현한다.

[그림 2.12]

Charts relative frequency of an item from high to low.

Select Columns	Cast Selected Columns into Roles	
▼ 1 Columns	Y, Cause	♣ failure
failure	X, Grouping	*optional*
☐ Threshold of Combined Causes	Subcategory	*optional*
☐ Per Unit Analysis	Weight	*optional numeric*
(requires sample size)	Freq	*optional numeric*
	By	*optional*

🖑 다음과 같이 **Pareto Plot** 이 그려진다. 아래는 **▼plot / cumulative percent / show cum percent points, label cum percent points** 를 선택한 결과이다.

[그림 2.13]

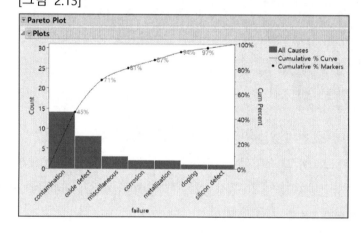

🖑 비중이 낮은 몇 가지 항목을 합치기 위해서는 **▼Pareto Plot / configure causes** 에서 해당 항목을 선택 후 **Combine** 을 클릭하면 된다.

[그림 2.14]

Use the list to combine, separate or reorder the causes.

	Selected Cause Details	
contamination	Label	2 Others
oxide defect	Color	✕
miscellaneous	Marker	●
corrosion	Show Bar Value	Off
metallization	Selected Count	2
2 Others	Contains	doping
Combine Separate		silicon defect

🖱 아래는 비중이 작은 두 개의 항목을 **Others** 로 처리한 결과이다.

[그림 2.15]

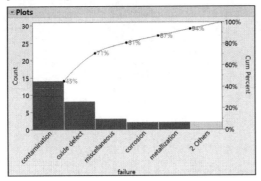

🖱 이와 같은 방법 이외에도 실행 화면에서 **Threshold of Combined Causes** 를 선택한 다음, **Tail%**(하위 몇 %를 합쳐서 표현할 것인지) 또는 **Count** 기준으로 합칠 수도 있다.

[그림 2.16]

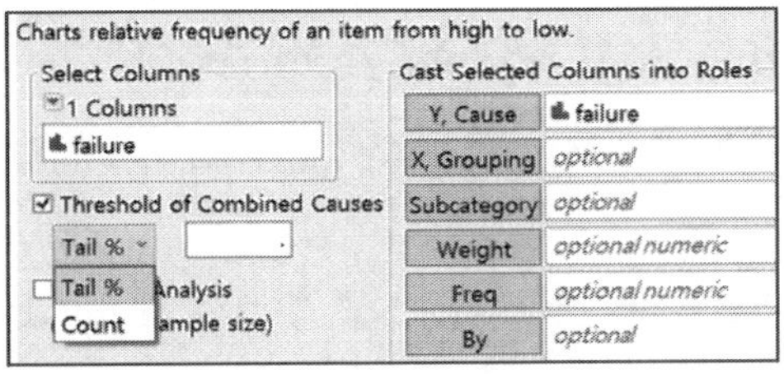

🖱 이번에는 불량 항목(명칭)과 불량 개수 등의 빈도가 별도의 Column 에 정리되어 있는 경우에 대해 알아보자.

🖱 'failure.jmp' 데이터를 가지고 불량 항목을 **Y** 로, 불량 개수를 **Freq** 로 선택한 후 OK 를 클릭하면,

[그림 2.17]

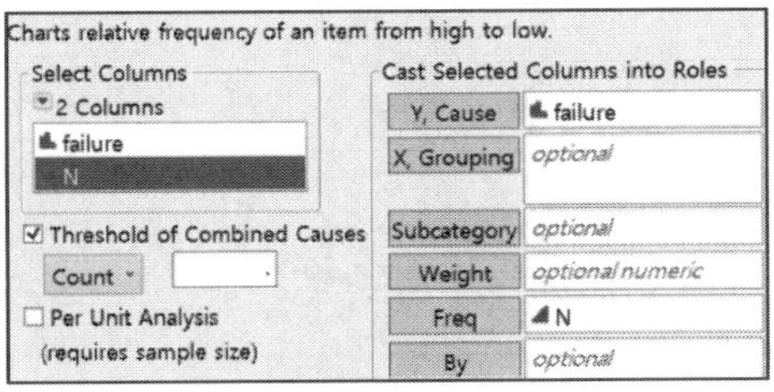

🖱 다음과 같이 **Pareto Plot** 이 그려진다.

[그림 2.18]

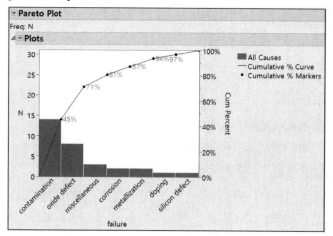

🖱 이 상태에서 특정한 항목에 대해 어떤 조치를 취하고자 한다면 해당 항목
선택 후 **▼plots / selected causes** 에서 해당 항목(들)을 합치거나
분리하거나 위치를 조정할 수 있다. 또한 **▼plots / subset** 에서 선택한
항목만으로 별도의 데이터 테이블을 구성할 수도 있다.

🖱 **▼plots / pareto / pie chart** 를 클릭하여 **Pie Chart** 로 변경할 수도 있다.

[그림 2.19]

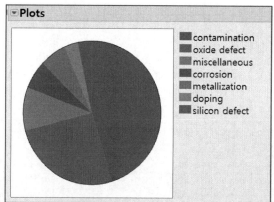

2) 다이아그램(Diagram)

다이아그램은 우리에게 특성 요인도로 보다 더 잘 알려져 있는 그래프이다. 종종 Ishikawa Chart, 어골도(魚骨圖, fishbone charts) 등으로 불리기도 하는 다이아그램은 개선 활동을 전개하거나 결과에 영향(Effect)을 미치는 원인(Cause)을 추정하기 위한 시각적 도구로 많이 활용되는 방법이다.

브레인스토밍 방법을 사용하여 결과에 대한 원인을 단계적으로 추측해 나가는 5 Why 또는 결과를 MECE(Mutually Exclusive Collectively (Exhaustive)적으로 정리하기 위한 목적으로도 많이 활용된다. 다이아그램은 결과에 영향을 미치는 원인을 단계적으로 추정해 나갈 수 있는 좋은 시각화 도구이나 경우에 따라서는 작성하기가 쉽지 않다. 특히 단계가 계속 내려갈수록 작성하기가 어렵고 수정 사항이 발생했을 때 이를 반영하기도 쉽지 않은 데, JMP 를 활용하면 특성 요인도를 아주 쉽게 그릴 수 있을 뿐만 아니라 쉽게 수정이 가능하다. 원인을 단계적으로 추정하다 보면 몇 단계씩 계속 내려가는 데, JMP 를 활용하면 몇 단계이든 [그림 2.20]처럼 바로 위의 단계와 아래 단계만을 구분해 주면 된다.

[그림 2.20] 'Ishikawa.jmp'

	Parent	Child
1	Defects in circuit board	Inspection
2	Defects in circuit board	Solder process
3	Defects in circuit board	Raw card
4	Defects in circuit board	Components
5	Defects in circuit board	Component insertion
6	Inspection	Measurement
7	Inspection	Test coverage
8	Inspection	Inspector
9	Solder process	Splatter

☞ 다이아그램을 그리기 위해서는 **Analyze / Quality and Process / Diagram** 에 들어간다. 개념이 살짝 혼동될 수도 있는 데 [그림 2.21]처럼 선택하였다면 Y 가 결과가 되는 변수(여기서는 Child)이고 X 는 원인이 되는 변수이다(여기서는 Parent)

[그림 2.21]

Creates a cause and effect diagram.

Select Columns	Cast Selected Columns into Roles	
▼2 Columns	Y, Child	🔷 Child
Parent	X, Parent	🔷 Parent
🔷 Child	Label	*optional character*
	By	*optional*

🖑 아래와 같이 다이아그램이 그려진다.

[그림 2.22]

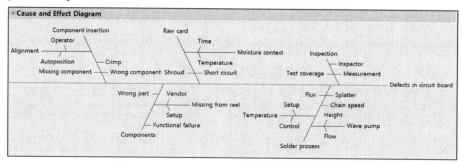

🖑 다이아그램에 대한 편집을 하기 위해서는 편집할 부분을 선택하고 우측 마우스를 클릭하면 된다. **Text** 에서는 Font 크기, Color 등을 조정할 수 있고 **Insert** 옵션을 통해 새로운 항목을 필요한 위치에 추가할 수 있다. **Move** 는 특정 항목 또는 Branch 를 이동하는 기능이고 **Change Type** 은 다른 형식으로 다이아그램을 표현하는 기능이다.

[그림 2.23]

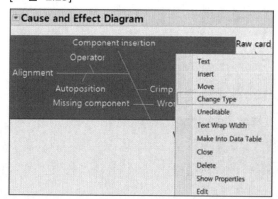

[그림 2.24]는 **Change Type** 에서 **Hierarchy** 를 선택한 결과이다. 로직 트리(Logic Tree)로 불리는 그래프이다.

[그림 2.24]

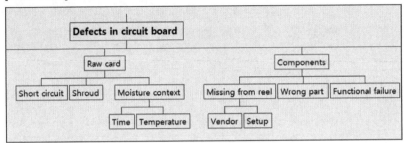

2 부. 측정 시스템 분석

3 장. 측정 시스템 분석 기초

이번 장에서는 측정 시스템 분석(MSA : Measurement System Analysis)을 위한 기본적인 개념, 분석 방법의 종류 및 JMP 에서 분석 가능한 측정 시스템 분석 방법의 종류와 내용에 대해 살펴볼 것이다.

1. 기본 개념

측정 시스템 분석(MSA : Measurement System Analysis)은 경우에 따라 MCA(Measurement Capability Analysis), Gauge Study, Repeatability and Reproducibility (R&R) Study, Gauge R&R Study, Interlaboratory Uniformity (ILU) Study, Method Validation 및 Round Robin Study 등의 다양한 이름으로 불린다.

측정 시스템이란 측정값에 영향을 주는 제반 요소의 총칭으로 절차, 계측기 및 다른 장비, 소프트웨어, 측정자 등 측정값을 얻기 위해 사용되는 시스템 전체를 말하며 측정 시스템 분석이란 측정 시스템의 오류로 인한 산포가 최종 관측된 산포에서 얼마나 많은 비중을 차지하는 지를 분석하여 측정 시스템의 신뢰성을 평가하는 방법으로 프로세스의 현재 능력을 파악하기 위한 데이터 수집에 앞서 측정 시스템이 신뢰할 만한 측정 능력을 가지고 있는 지를 확인하는 데 활용된다. 요약하면 측정된 산포 전체에서 측정 시스템에 의한 산포가 어느 정도인지를 파악하는 것이라 할 수 있다[7].

측정 시스템 분석을 보다 명확히 이해하기 위해 측정 및 측정 오차의 개념, 측정 오차의 종류에 대해 좀 더 살펴보자.

---

[7] 측정 시스템 분석 방법에 따라 측정 시스템, 측정 프로세스, 계측기 등에 대한 용어 정의가 다소 다르지만 본 책에서는 측정 시스템으로 통칭하여 사용한다.

측정이라는 단어를 간단히 정의하면 대상물에 수치를 부여하는 것 또는 대상물의 어떤 특성을 수치적으로 인간이 인식한 것이라 할 수 있다[8]. 측정(測定)의 한자를 살펴보면 재서 정한다는 뜻도 있고 정해진 것을 잰다는 뜻도 있다. 재서 정하면 측정값이고, 정해진 것은 참값이라 할 수 있는 데, 모든 측정값은 궁극적으로(또는 이론적으로) 참값과 일치하지 않는다. 이와 같이 참값과 측정값의 차이를 살펴보는 것을 측정 시스템 분석이라 할 수 있으며 이러한 참값과 측정값의 차이를 보통 측정 오차(measurement error) 또는 측정 시스템 오차(measurement system error)라고 한다.

측정 오차(measurement error)는 정확도(accuracy)와 정밀도(precision)의 두 가지로 구분하여 설명할 수 있다. 정확도는 측정값과 참값(또는 표준 값)과의 차이를 의미하며 통계적으로 보면 측정값의 평균과 참값(또는 표준 값)과의 차이라 할 수 있다. 정밀도는 여러 번 측정하였을 경우 그 측정값들의 차이(산포)를 뜻한다.

[그림 3.1]

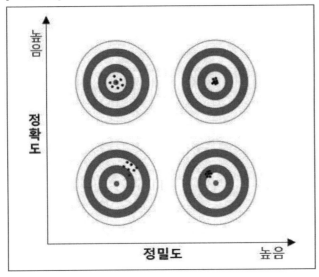

8 https://horizon.kias.re.kr/19879/

정확도(accuracy)는 편의(bias), 선형성(linearity) 및 안정성 (stability)의 세 가지 요소로 구분할 수 있고 정밀도(precision)는 반복성(repeatability)과 재현성 (reproducibility)으로 구분된다.

1) 정확도(accuracy)

먼저 편의(bias)에 대해 살펴보자. 편의는 종종 '치우침'이라고 번역되기도 하는 데, 참 값(실제 평균)과 측정값 평균 간의 차이를 의미하여 당연히 그 차이가 작을수록 좋다(정확도가 높다)라고 할 수 있다.

[그림 3.2]

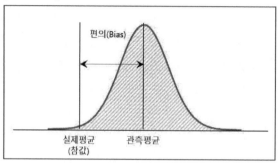

두 번째 선형성(linearity)은 측정 범위 전체에 대한 측정 시스템 변동 즉 편의(bias)의 일관성이라 말할 수 있다.

[그림 3.3]

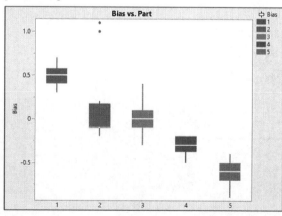

[그림 3.3]은 각각 1, 2, 3, 4, 5 의 참값을 가진 부품을 여러 번 측정한 후에 측정값과 참값의 차이(bias)를 Boxplot 으로 표현한 그래프이다. 이 경우는 참값이 커질수록 편의(bias)가 작아진다. 즉, 그 차이가 일관적이지 않고 감소하고 있으므로 선형성 측면의 문제가 있다고 말할 수 있다.

마지막으로 안정성(stability)은 시간의 변화에 따른 계측 결과의 변동을 의미하며 측정 시스템 및 환경의 변화에 따라 동일 대상의 측정 평균값이 유의할 만큼 다르면 안정성이 미약하다고 할 수 있다. 안정성은 보통 관리도(control chart)를 통해 그 정도를 파악하며 주로 시간 경과에 따른 편의(bias)의 변화를 의미한다.

[그림 3.4]

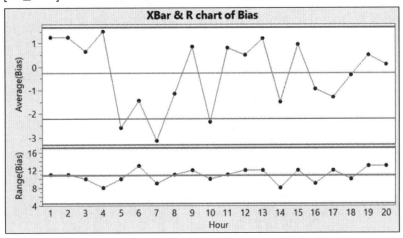

2) 정밀도(precision)

정밀도(precision)는 반복성(repeatability)과 재현성(reproducibility)으로 구분할 수 있다. 먼저 반복성에 대해 살펴보자.

반복성(repeatability)은 한 사람의 측정자가 동일한 측정기로 동일한 대상을 동일한 측정 과정을 사용하여 반복해서 측정할 때 발생하는 산포를 말한다.

[그림 3.5]

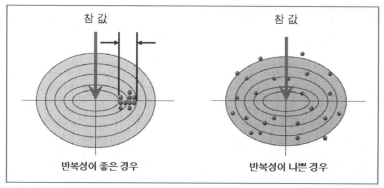

반면, 재현성(reproducibility)은 두 명 이상의 측정자가 동일한 측정기로 동일 대상을 반복해서 측정할 때 발생하는 측정자간 측정값 평균의 차이를 말한다. 간단히 측정자간 차이라고도 말하지만, 엄밀히 말하면 측정자 간의 차이를 비롯하여 측정 장비, 측정 방법 등 측정 시스템의 다른 요소에 따른 영향도 포함된다.

[그림 3.6]

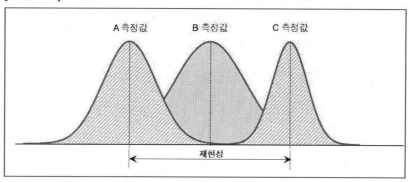

3) 전체 변동과 Gauge R&R

측정 오차를 야기하는 정확도와 정밀도의 다섯 가지 요소를 포함하여 프로세스 전체의 변동은 개념적으로 [그림 3.7]과 같이 분해할 수 있다.

관측된 프로세스의 변동은 크게 실제 프로세스의 변동과 측정 변동(측정 오차)로 구분할 수 있다. 측정 변동 중에서 측정 시스템에 의한 변동이 어느 정도인지를 파악하는 게 측정 시스템 분석이다. 측정 시스템 분석은 재현성(Reproducibility), 반복성(Repeatability), 편의(Bias), 안정성(Stability) 및 선형성(Linearity)의 다섯 가지 요소를 모두 포함하지만 그 중에서도 측정자 변동과 관련된 재현성(**R**eproducibility)과 반복성(**R**epeatability)을 다루는 부분을 영어 약자를 따서 간략히 **Gauge R&R** 이라 부른다.

측정 변동의 다섯 가지 요소 아래에 표기된 반복이 있는 ANOVA, 1 Sample T, 선형 회귀 분석 및 관리도는 각 변동을 파악하는 방법을 나타낸 것으로 추후 별도로 살펴볼 것이다.

[그림 3.7]

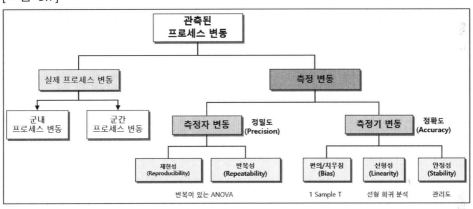

2. 측정 시스템 분석 방법의 종류 및 순서

측정 시스템의 능력을 평가하는 대표적인 방법(표준 또는 절차서)에는 IATF 의 MSA(기존 AIAG MSA(4)), ISO22514-7, VDA5, EMP 등 여러 가지가 있다.

IATF(International Automotive Task Force) 16949(2016)의 측정 시스템 분석 방법은 미국(QS9000), 독일(VDA), 프랑스(EAQA), 이탈리아(AVSQ) 등 기존에는

각 나라마다 별도의 자동차 품질 시스템을 가지고 있었으나 미국 및 유럽의 주요 자동차 회사들이 모여 관련 품질경영시스템을 통합한 결과물이다. 여기에는 다섯 가지 Core Tool[9]이 있는 데 이중 하나인 MSA 는 기존 AIAG Automotive Industry Action Group 의 MSA4 와 거의 동일하다. 이 방법은 미국 자동차 업계 및 6 Sigma 등의 영향으로 전세계적으로 가장 많이 활용되고 있는 측정 시스템 능력 방법으로 일반적으로 측정 시스템 분석 또는 Gauge R&R Study 라고 하면 이를 지칭한다.

VDA5 는 독일 자동차 협회(Verband Der Automobileindustrie)에서 만든 방법이고, EMP(Evaluating the Measurement Process)는 Donald J. Wheeler 등에 의해 개발된 방법이며 그 외 ISO22514-7 등이 있다.
[그림 3.8]은 가장 대표적인 네 가지 방법을 요약한 내용이다.
[그림 3.8]

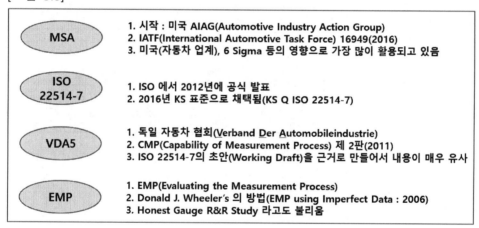

이번에는 측정 시스템의 능력을 분석하는 프로세스에 대해 살펴보자. 측정 시스템 분석 방법이 다양하고, 경우에 따라서는 회사마다 다른 분석 방법,

---

[9] APQP(Advanced Product Quality Training), FMEA(Failure Mode Effect Analysis),
MSA(Measurement System Analysis), PPAP(Production Part Approval Process), SPC(Statistical Process Control)

분석 프로세스를 가지고 있는 경우는 있지만 공통점 중심으로 간략히 요약하면 [그림 3.9]와 같다.

[그림 3.9]

단계	항목		일반적인 평가 기준
측정 시스템 선정	분해능(resolution)		MSA4 : 공차 및 공정 변동의 10% VDA : 합부판정용은 공차의 1/20(5%), 공정 관리용은 공차의 1/5(20%)
측정 시스템 평가	Type 1	편의(bias) 및 계측기 반복성(repeatability) : 표준 대비	Cg, Cgk ≥ 1.33
	Type 2	반복성(repeatability) 및 재현성 (reproducibility) 측정자 영향 있음	%Contribution(≤ 1%), %GaugeR&R(≤ 10%), %Tolerance(≤ 10%) Qmp ≤ 30% 등
	Type 3	반복성(repeatability)만 존재, 측정자 재현성 없음(자동 측정)	Type 2의 경우와 동일
	Type 4	선형성(Linearity)	Qms ≤ 15%, %Bias(≤ 10%)
유지 관리	Type 5	안정성(Stability)	Out of Control(관리 이탈)

측정 시스템 분석을 선정, 평가 및 유지 관리로 나눈다면 측정 시스템 선정을 위한 기본 요건은 분해능(resolution)이라 할 수 있다. 분해능은 계측기의 최소 눈금 단위 또는 최소 자리 수를 뜻한다. AIAG MSA 방법 기준으로는 공차 및 공정 변동의 10%의 분해능을 가지고 있어야 한다. 예를 들어 공차 범위(USL – LSL)가 1 이라면 공차 범위의 10%인 0.1 보다 작은 값을 측정할 수 있는 분해능을 가지고 있어야 한다는 뜻이다.

측정 시스템 평가는 Type 1 부터 Type 4 까지로 구분할 수 있으며 이 중 Type 2 Study 가 반복성 및 재현성을 모두 파악하는 경우로 일반적인 Gauge R&R Study 가 여기에 해당되며 Type 5 는 안정성을 말한다. Type 1 부터 Type 5 까지에 대해서는 다음 장에서부터 상세히 학습할 것이며 여기서는 분해능(resolution)에 대해 먼저 살펴보고자 한다.

Sample data 'resolution.jmp'는 Spec 이 2.99~3.01(공차 : 0.02) 이고 각각 분해능이 0.0001 및 0.01 인 두 계측기 A, B 를 이용하여 20 개의 부품을

5 회씩 반복 측정한 결과이다.

[그림 3.10]

	Subgroup	A(0.0001)	B(0.01)	
1	1	3.0026	3.00	
2	1	3.0063	3.01	
3	1	2.9955	3.00	

먼저 분해능이 0.0001 인 계측기 A 의 측정 결과를 Xbar-R 관리도로 살펴보면 특별한 관리이탈 상태가 없지만,

[그림 3.11]

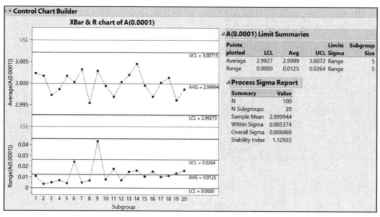

분해능이 0.01 인 계측기 B 로 측정한 결과를 Xbar-R 관리도로 살펴보면 관리선을 벗어난 경우가 많이 있음을 알 수 있다.

[그림 3.12]

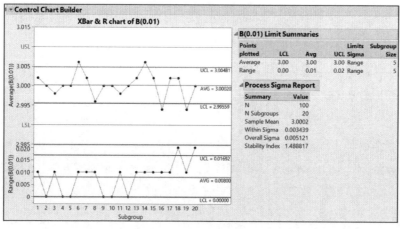

위와 같은 결과가 나오는 이유는 계측기 B의 분해능이 좋지 못하기 때문이다. 계측기 분해능은 보통 공차 범위 대비 비율(분해능/공차 범위) 또는 공정 변동 대비 비율(분해능/(6*Overall Sigma))을 계산하여 그 비율이 10%가 넘지 않음이 권고된다. 계산해 보면 [그림 3.13]의 내용과 같이 B 계측기로 측정했을 경우 공정 변동 대비 분해능이 32%로 계측기의 개선 또는 교체가 요구되는 상황이라고 할 수 있다.

[그림 3.13]

Spec : 2.99 ~ 3.01				분해능(%)	
변수	분해능	공차	Overall Sigma	공정변동대비	공차대비
A(0.0001)	0.0001	0.02	0.006069	0.274619652	0.005
B(0.01)	0.01	0.02	0.005121	32.54572675	0.5

3. JMP의 측정 시스템 분석

JMP(JMP17 기준)에서 측정 시스템 분석과 관련된 메뉴는 다음과 같다.

[그림 3.14]

JMP 메뉴	분석 기능
Analyze / Quality and Process / Measurement System Analysis	세 가지 측정 시스템 분석 방법 (EMP, Gauge R&R, Type 1 Gauge)
Analyze / Quality and Process / Variability, Attribute Gauge Chart	변동성 차트(Variability Chart) 편의, 선형성 범주형 데이터에 대한 측정 시스템 분석
Analyze / Quality and Process / Control Chart Builder 또는 Control Chart	안정성
DOE / Special Purpose / MSA Design	측정 시스템 분석을 위한 측정 계획 수립
Analyze / Quality and Process / Manage limits	측정 시스템 분석을 위한 Spec(Tolerance) 관리

4 장. AIAG Gauge R&R

4 장에서는 측정 시스템 분석 방법 중 가장 많이 활용되는 AIAG(Automotive Industry Action Group)의 Gauge R&R 방법에 대해 살펴볼 것이다. 반복성, 재현성, 편의 및 선형성에 대해 학습할 것이며, 그 외 관련된 사항은 '6 장. 실무 활용을 위한 몇 가지 토픽'을 참조하길 바란다
-반복성과 재현성
-편의와 선형성

1. 반복성과 재현성

'Wafer.jmp' 데이터를 활용하여 AIAG Gauge R&R 방법을 활용하여 반복성과 재현성에 대해 살펴보자. 이 데이터는 3 명이 6 개의 Sample 에 대해 2 회 반복 측정한 총 36 개의 측정 데이터가 있다.

🖰 **Analyze / Quality and Process / Measurement Systems Analysis** 에서 아래와 같이 선택한다. **MSA Method** 로 **Gauge R&R** 을, 교호 작용을 확인하기 위하여 **Model Type** 에서 **Crossed(교차)**를 선택한다.

[그림 4.1]

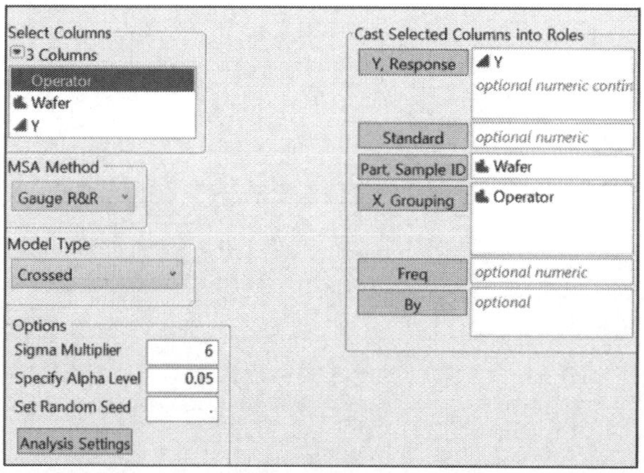

⌲ 측정값의 평균과 산포(표준 편차)을 나타낸 **Variability Chart(변동성 차트)**가 표시되는 데, (여러 개의 하위 메뉴를 동시에 선택하기 위하여) **Alt Key** 를 누른 상태에서 **▼Variability Gauge Analysis for Y** 의 붉은 색 역삼각형을 클릭한 다음 분석 결과의 가시성을 높이기 위해 **Connect Cell Means, Show Group Means, Show Grand Mean** 을 선택한다. 전체 평균과 각 측정자의 평균을 확인할 수 있으며 반복 측정한 값을 수직선으로 연결하였으므로 수직 선의 길이가 길수록(여기서는 2 회 반복 측정의 결과임) 반복성에 의한 산포가 크다고 말할 수 있다.

[그림 4.2]

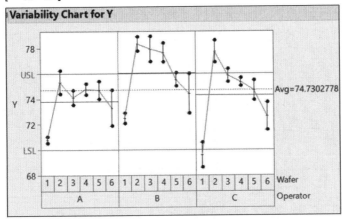

⌲ 아래쪽의 **Std Dev** 그래프 또한 보다 가시적으로 표현할 수 있다. 이 그래프는 측정 조건별 측정 결과의 표준편차(Standard Deviation) 값을 표시한 것이다.

▼Variability Gauge Analysis for Y 의 붉은 색 역삼각형을 클릭한 다음, **Mean of Std Dev, S Control Limits, Group Means of Std Dev** 를 선택하여 추가한 그래프가 [그림 4.3]이다. 측정자별 표준편차, 표준편차의 평균, 표준편차 기준의 관리선인 **S Control Limits** 가 표시된다.

[그림 4.3]

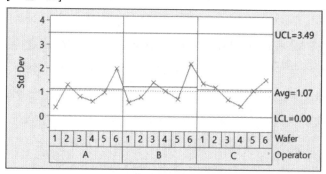

▼Variability Gauge Analysis for Y / Variability Summary Report 를 클릭하면 전체 데이터 및 각 조건별 요약 통계량을 확인할 수 있다.

[그림 4.4]

Variability Summary for Y									
	Mean	Std Dev	CV	Std Err Mean	Lower 95%	Upper 95%	Minimum	Maximum	Range
Y	74.73028	2.507082	3.354841	0.417847	73.882	75.57855	68.61	78.93	10.32
Operator[A]	73.82583	1.779737	2.410724	0.513766	72.69504	74.95662	70.52	76.24	5.72
Operator[B]	76.05917	2.400259	3.155779	0.692895	74.53411	77.58422	72.08	78.93	6.85
Operator[C]	74.30583	2.838147	3.819549	0.819303	72.50256	76.10911	68.61	78.61	10
Operator[A] Wafer[1]	70.775	0.360624	0.509537	0.255	67.53492	74.01508	70.52	71.03	0.51

이제 반복성과 재현성에 대해 살펴보자.

▼Variability Gauge Analysis for Y / Gauge Studies / Gauge R&R 을 클릭하면 반복성과 재현성을 파악하기 위하여(정확히는 **%Tolerance** 를 파악하기 위하여) 아래와 같이 Spec (또는 Tolerance)를 입력할 수 있는 옵션 창이 표시된다. 여기서는 데이터 테이블의 **Column Info** 에 Spec 이 입력되어 있기 때문에 그 결과가 표시된다. OK 를 클릭한다.

[그림 4.5]

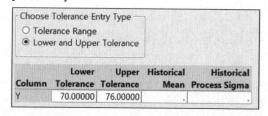

결과 Report 를 보면 여러 가지 분석 결과가 있는 데 Gauge R&R 방법에서 주로 사용하는 아래 네 가지 평가 기준으로 살펴보자.

- %Gauge R&R 또는 %R&R
- %Contribution
- %Tolerance(Precision/Tolerance Ratio)
- 구별 범주의 수(NDC : Number of Distinct Categories)

위의 네 가지 평가 기준을 요약하면 [그림 4.6]과 같다[10].

[그림 4.6]

구 분	Gauge R&R 평가지표	개념	우수 (excellent)	조건부 승인 (marginally acceptable)	부족 (unacceptable)
%R&R	$\dfrac{\hat{\sigma}_{R\&R}}{\hat{\sigma}_{Total}} \times 100$	% GRR (%Study Variance)	< 10%	10% ~ 30%	30%
	$\dfrac{\hat{\sigma}^2_{R\&R}}{\hat{\sigma}^2_{Total}} \times 100$	% Contribution	< 1%	1% ~ 9%	>9%
%Tolerance (허용 오차율)	$\dfrac{6 \cdot \hat{\sigma}_{R\&R}}{Tolerance} \times 100$	% Tolerance	< 10%	10% ~ 30%	> 30%
구별 범주의 수	$\sqrt{2} \times \dfrac{\sigma_{PV}}{\sigma_{RR}}$	NDC(Number of Distinct Categories)	>10	5 ~ 10	< 5

☞ [그림 4.7]은 **분산 성분(Variance Components)표**인 데, 분산 기준으로 계산된 변동 관점으로 볼 때 총 변동에서 부품간 변동(Part-to-Part)이 62%, Gauge R&R 에 의한 변동이 38%라는 뜻이다. 이 값이 **%Contribution** 이라 부르는 값으로 1% 이하를 우수, 1%~9% 사이를 양호라고 보통 판정한다. 지금은 38% 수준이므로 반복성과 재현성이 총 변동에서 차지하는 비중이 매우 크다고 할 수 있다.

_____

[10] %Tolerance: 과거에는 5.15(정규 분포 기준 99%)를 사용하였으나 AIAG 표준 개정으로 지금은 6(99.73%)을 사용한다. 구별 범주의 수는 이렇게 계산한 값을 가장 가까운 정수로 내림 처리한 값으로 프로세스 변동(Process Variation)과 R&R 로 인한 변동의 상대적 비율을 의미한다.

[그림 4.7]

Variance Components for Gauge R&R			
Component	Var Component	% of Total	20 40 60 80
Gauge R&R	1.8992302	38.04	
Repeatability	1.1140865	22.31	
Reproducibility	0.7851437	15.73	
Part-to-Part	3.0935759	61.96	

참고로 ▼**Variability Gauge Analysis for Y / Variance Components** 를 선택하면 [그림 4.8]과 같은 표가 출력되는 데, [그림 4.7]의 재현성 (reproducibility)은 [그림 4.8]의 Operator 와 교호작용(Operator*Wafer)의 분산 성분을 합한 값이고, [그림 4.7]의 반복성(repeatability)과 부품간 변동(Part-to-Part)은 [그림 4.8]에서 각각 Within 과 Wafer 에 의한 변동으로 표시되어 있다.

[그림 4.8]

Variance Components				
Component	Var Component	% of Total	20 40 60 80	Sqrt(Var Comp)
Operator	0.5454796	10.9		0.7386
Wafer	3.0935759	62.0		1.7589
Operator*Wafer	0.2396641	4.8		0.4896
Within	1.1140865	22.3		1.0555
Total	4.9928061	100.0		2.2345

[그림 4.9]는 측정 시스템 변동의 요소별 표준편차의 6 배 값과 이 값의 공차 범위 대비 비율을 계산한 것이다[11].

---

[11] 일부 통계량이 보이지 않을 경우 분석 결과에서 우측 마우스 클릭, Columns 에서 필요한 통계량을 추가하면 된다.

[그림 4.9]

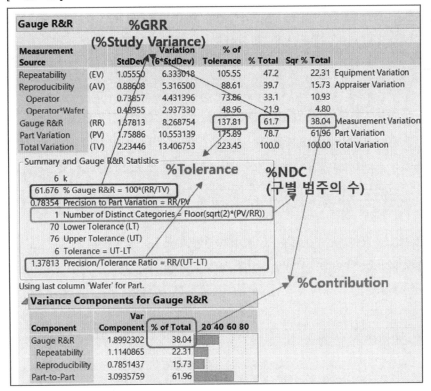

🖰 측정 시스템의 판정 기준으로 가장 많이 활용되는 지표는 **%Gauge R&R (% Study Variance)**과 **%Tolerance** 이다. **%Gauge R&R (% Study Variance)**는 표준 편차 기준으로 계산된 변동 관점으로 Gauge R&R 로 인한 변동(8.268754)을 총 변동(13.406753)에서 차지하는 비중으로 나누어 계산하여 (8.268754 / 13.406753) = 61.7%가 된다. 보통 10% 이하를 우수, 10% ~ 30% 사이를 조건부 승인(또는 양호)로 판정하는 데, 지금은 62% 수준이므로 반복성과 재현성이 총 변동에서 차지하는 비중이 매우 크다고 할 수 있다.

🖰 **%Tolerance** 는 표준편차의 6 배 값으로 계산된 Gauge R&R(8.268754)의 Spec 범위, 즉 Tolerance(공차, 6, 70~76) 대비한 비중으로 1.378313(=

8.268754 / 6), 137.81% 이다. 이 값 또한 10% 이하를 우수, 10% ~ 30% 사이를 조건부 승인(또는 양호)로 판정하는 데, 지금은 138% 수준이므로 공차 대비해서도 반복성과 재현성으로 인한 변동이 매우 크다고 할 수 있다.

☞ 마지막으로 **구별 범주의 수(NDC : Number of Distinct Categories)**는 측정 시스템의 분해능(Resolution)을 나타낸 개념이다. 일반적으로 10 이상을 우수, 5 ~ 10 사이를 양호, 5 이하를 부족이라고 평가하는 데 지금은 그 값이 1 이므로 분해능이 매우 부족한 상황이라 할 수 있다.

☞ 이번에는 **Misclassification Probability(오분류 확률)**에 대해 살펴보자. **▼Variability Gauge Analysis for Y / Gauge Studies / Misclassification Probability** 를 실행하면 다음과 같이 오분류 확률에 대한 결과가 출력된다. [그림 4.10]

Misclassification Probabilities

Lower Tolerance = 70, Upper Tolerance = 76, Grand Mean = 74.73028

Description	Probability
P(Good part is falsely rejected)	0.16708752
P(Bad part is falsely accepted)	0.26757559
P(Part is good and is rejected)	0.12719432
P(Part is bad and is accepted)	0.06388536
P(Part is good)	0.76124371

☞ 오분류 확률은 적합한 부품을 기각하고 잘못된 부품을 채택할 확률로 측정 시 측정 시스템의 산포가 작으면 오분류 비율도 감소한다. 오분류 확률은 Y(측정 값)와 X(실제 값)의 결합 확률 함수를 기반으로 계산된다. 사용된 결합 확률 밀도 함수는 이변량 정규 분포이다. 설명을 이해하기 위해 다음의 세 가지 확률 δ(delta), β(beta), π(pi)를 정의하면 다음과 같다.

1) δ = P[(LSL ≤ X ≤ USL) 및 (Y < LSL 또는 Y > USL)]
2) β = P[(X < LSL 또는 X > USL) 및 (LSL ≤ Y ≤ USL)]
3) π = P(LSL ≤ X ≤ USL)

이 내용과 [그림 4.10]의 내용을 표로 요약하면 다음과 같다.

[그림 4.11]

측정값		실제 값(x)	
		OK(π)	NG(1-(π))
측정값	OK		β
(Y)	NG	δ	

		실제 값(x)	
		0.7612	0.2388
측정값	0.6979	0.634	0.0639
(Y)	0.3021	0.1272	0.1749

[그림 4.10]의 다섯 가지 결과 중 앞의 두 가지는 조건부 확률이고, 뒤의 세 가지는 결합확률인 데 이를 재정리하면 다음과 같다.

[그림 4.12]

조건부 확률	표현 식	결과 값
P(Good part is falsely rejected)	P(Y(NG) / X(OK)) = δ / π	0.16708752
P(Bad part is falsely accepted)	P(Y(OK) / X(NG)) = β / 1- π	0.26757559
결합확률		
P(Part is good and is rejected)	P(X=OK & Y=NG) = δ	0.12719432
P(Part is bad and is accepted)	P(X=NG & Y=OK) = β	0.06388536
P(Part is good)	P(X=OK) = π	0.76124371

즉, 측정 시스템 분석에서의 오분류율 개념은 통계적 검정 및 머신 러닝의 분류 문제에서의 오분류 개념과 동일하다.

[그림 4.13]

예측		실제	
		True(OK)	False(NG)
예측	True(OK)	옳은 판단 (1-α)	2종 오류 (β)
(판단)	False(NG)	1종 오류 (α)	옳은 판단 (1-β)

☞ 이 외에도 ▼**Variability Gauge Analysis for Y / Gauge Studies / Gauge R&R Plots** 에서 **Mean Plot** 및 **Std Plot** 을 이용하면 측정자, 측정 대상의 효과 및 측정자와 측정 대상 간의 교호작용에 대해 보다 시각적으로

파악할 수 있다. [그림 4.14]는 **Mean Plot** 이다. 측정자 B 가 다른 두 측정자보다 측정값의 평균이 크고 측정자 C 가 다른 두 측정자보다 측정의 산포가 보다 크다. 또한 측정 대상별로 산포의 차이가 어느 정도 있음을 짐작할 수 있고 측정자와 측정 대상 간에 얼마 정도의 교호 작용이 있을 것으로 추정할 수 있다.

[그림 4.14]

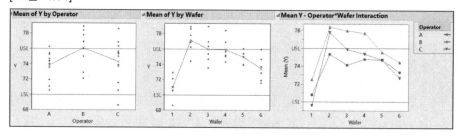

🖰 [그림 4.15]는 표준 편차를 표현한 **Std Plot** 이다.

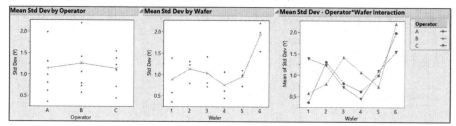

2. 편의(Bias)와 선형성(Linearity)

이번에는 편의(Bias, 치우침)과 선형성(Linearity)에 대해 살펴보자. 편의는 참값(true value) 또는 기준 값(reference value)과 측정 값의 차이를 말하며 선형성은 측정 범위 전체에서의 편의 값의 변화를 말한다. 즉, 측정 범위 전체에서의 편의가 일정한 값을 가질 경우 선형성의 문제가 없다고 말할 수 있다.

<편의(Bias)>

먼저 편의(bias)에 대해 살펴보자[12].

☞ 'Gauge Bias.jmp'는 편의를 알아보기 위해 값 15 를 가지는 표준품에 대해 30 회 측정한 데이터이다. **Analyze / Quality and Process / Variability, Attribute Gauge Chart** 에서 아래와 같이 선택한 다음 OK 를 클릭한다.

[그림 4.16]

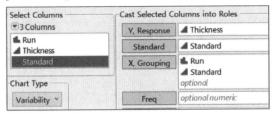

☞ **Thickness** 에 대한 **Variability Chart(변동성 차트)**가 출력된다.

[그림 4.17]

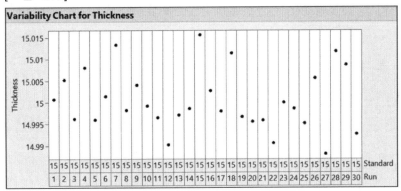

☞ 그런 다음 ▼**Variability Gauge~ / Gauge Studies / Bias Report** 를 선택한다. 히스토그램을 통해 **Bias** 의 분포를 확인할 수 있다. 이 결과는 기준 값과 반복 측정값 평균의 차이에 대한 **1 Sample T** 검정과 동일한 데 P Value 가

---

[12] 편의(bias)의 측정을 위해서는 SRM(Standard Reference Material)이라 불리는 표준 물질이 필요하다.

0.76 이므로 유의한 Bias 가 있다고 보고 어렵다.

[그림 4.18]

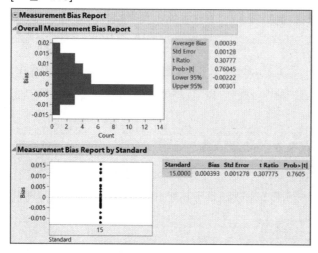

🖐 ▼**Measurement Bias Report / Measurement Error Graphs** 를 클릭하여 두 가지 **Error Graph** 를 출력하여 측정 Error 를 확인할 수 있다. [그림 4.19]는 그 중의 하나이다.

[그림 4.19]

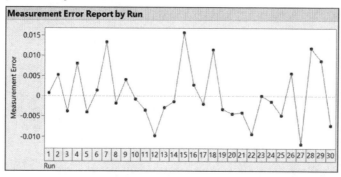

🖐 참고로, [그림 4.18]의 결과는 **Thickness** 변수에 대해 표준 값 15 기준으로 반복 측정한 값 평균과의 차이에 대한 **1 Sample T Test** 한 결과와 동일하다. 이를 위해서는 **Thickness** 변수에 대해 **Analyze / Distribution** 을 실행한 다음, ▼**Thickness / Test Mean** 을 클릭하여 검정 평균인 15 를 **Specify**

Hypothesized Mean 에 입력하면 된다.

[그림 4.20]

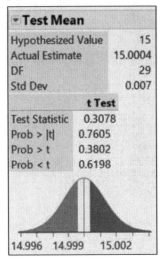

<선형성(Linearity)>

☞ 선형성을 분석하기 위해서는 표준값을 X 인자, Bias 를 반응치 Y 로 하는 회귀 분석을 실시한다. 'MSALinearity.jmp' 데이터는 각각 2, 4, 6, 8, 10 의 표준 값을 가지는 부품에 대해 각 12 회 씩 총 60 회 측정한 데이터이다. **Analyze / Quality and Process / Variability, Attribute Gauge Chart** 에서 아래와 같이 변수를 선택한다. 측정 시스템 분석에 있어서 **%Tolerance** 를 계산하기 위해서는 Spec 또는 Tolerance 값이 필요하고, **Linearity** 계산을 위해 역사적 표준편차(Historical Sigma)를 입력해야 하는 데, 이러한 값을 **Meta Data** 라고 한다. **Meta Data** 는 사후적으로 입력하거나 변수 속성(**Column Property / MSA**)으로 미리 테이블에 저장해 놓을 수도 있다. 여기서는 실행 윈도우에 있는 Meta 데이터를 선택한 후,

[그림 4.21]

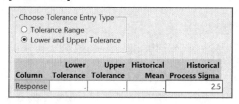

⚓ OK 를 클릭하면 아래와 같은 윈도우가 표시된다. Linearity 계산을 위해서는
K(보통 6)*Historical sigma 를 입력해야 하는 데 [그림 4.21]을 보면 **Sigma
Multiplier(K)**에 6 이 이미 입력되어 있으므로 Historical sigma 값(여기서는
2.5)만 입력하면 된다.

[그림 4.22]

Column	Lower Tolerance	Upper Tolerance	Historical Mean	Historical Process Sigma
Response	.	.	.	2.5

Choose Tolerance Entry Type
- ○ Tolerance Range
- ● Lower and Upper Tolerance

⚓ **Variability Chart** 가 출력된다. Part 2 에서 변동성이 상대적으로 크다.

[그림 4.23]

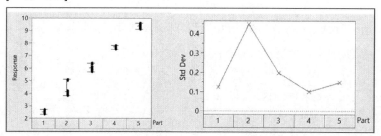

🖱 Linearity 확인을 위해서는 **▼Variability Gauge~ / Gauge Studies / Linearity Study** 를 클릭한다.

[그림 4.24]

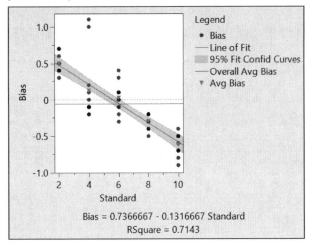

Bias = 0.7366667 - 0.1316667 Standard
RSquare = 0.7143

결과를 보면 작은 값에서는 Bias(치우침) [13] 이 양수로 표준 값보다 크게 측정된다는 뜻이고, 큰 값에서는 치우침이 음수이므로 표준 값보다 작게 측정된다는 뜻이다. 즉 편의의 정도가 일정하지 않다는 뜻이다.

🖱 분석 결과의 오른쪽 내용을 보면 그 결과를 보다 상세히 알 수 있다. 오른쪽 첫번째 결과는 측정값과 참값의 차이인 Bias(치우침)에 대해 검정값 '0'을 기준으로 1 Sample T Test 를 한 결과이다. 맨 오른쪽 **%Bias** 는 Bias 평균값을 **Historical Process Sigma(6*2.5)**로 나눈 값이다. 세 번째 결과를 보면 **기울기(Slope)**가 -0.13 이고, P Value 가 통계적으로 유의함으로 측정 구간 내 선형성이 좋지 않다고 할 수 있다. 여기서 **%Linearity** 는 측정 구간 내 Bias 의 회귀 계수인 데 13%가 넘는다. 일반적으로 10% 이상이면 선형성이 좋지 않다고 판단한다. 하단의 Which equals 부분이 분석 결과의 요약이라 할 수 있다.

---

[13] (측정값의 평균 - 표준 값)으로 계산

[그림 4.25]

Standard	Avg Bias	Std Error	t Ratio	Prob>|t|	% Bias
2	0.49167	0.035799	13.734	<.0001*	3.27778
4	0.12500	0.129173	0.968	0.3540	0.83333
6	0.02500	0.056575	0.442	0.6671	0.16667
8	-0.29167	0.028758	-10.142	<.0001*	1.94444
10	-0.61667	0.042343	-14.564	<.0001*	4.11111
Overall	-0.05333	0.030847	-1.729	0.0894	0.35556

Source	DF	Sum of Squares	Mean Square	F Ratio
Model	1	8.321333	8.32133	145.0232
Error	58	3.328000	0.05738	Prob > F
C. Total	59	11.649333		<.0001*

	Estimate	Std Error	t Ratio	Prob>|t|
Intercept	0.73667	0.072524	10.158	<.0001*
Slope	-0.13167	0.010933	-12.043	<.0001*

Which equals		
Process Variation	15	6 * Historical Process Sigma
Linearity	1.975	abs(Slope) * Process Variation
% Linearity	13.167	100 * Linearity / Process Variation
Overall Avg Bias	-0.053	Bias averaged over all parts
% Bias	0.3556	100 * abs(Avg Bias) / Process Variation
Alpha	0.05	

선형성의 경우 그래프 빌더 등을 통해 사전 확인하는 것이 좋은 습관이다.

[그림 4.26]

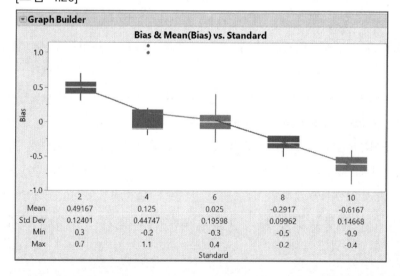

58

5 장. 측정 시스템 분석의 다른 방법

4 장에서 AIAG Gauge R&R 방법에 대해 살펴보았다. [그림 3.8]에서 살펴본 것처럼 Gauge R&R 외 다른 측정 시스템 방법도 여러 가지가 있는 데, 이번 장에서는 EMP 방법과 Type 1 Gauge 에 대해 살펴보고 범주형 데이터에 대한 측정 시스템 분석에 대하여 추가적으로 살펴볼 것이다.

1. EMP 방법

'4 장. AIAG Gauge R&R'의 '1. 반복성과 재현성'에서 살펴본 'Wafer.jmp' 데이터를 가지고 EMP(Evaluating the Measurement Process) 방법으로 측정 시스템 분석을 해 보자. JMP 는 Donald J. Wheeler 가 제안한 방법을 기준으로 분석한다[14].

🖱 **Analyze / Quality and Process / Measurement Systems Analysis** 에서 아래와 같이 선택한다. **MSA Method** 로 **EMP** 를, **Chart Dispersion Type** 으로 **Standard Deviation** 을 선택한다.

[그림 5.1]

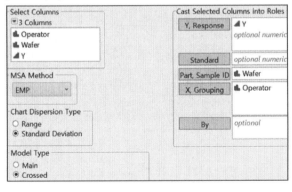

---

[14] EMP 방법에 대한 보다 세부적인 내용은 아래 링크를 참조하길 바란다.

https://www.jmp.com/en_us/whitepapers/jmp/emp-management-systems-analysis.html

◑ **Average Chart** 와 **Standard Deviation Chart** 가 출력된다. **Average Chart** 는 측정자별 Wafer 에 대해 2 회 반복 측정한 값의 평균을 보여주고 **Standard Deviation Chart** 는 측정자별로 Wafer 에 대해 2 회 반복 측정한 값의 표준 편차를 표시한다. 지금의 경우 데이터 테이블에 Spec 이 저장되어 있고, 실행 윈도우에서 **Use spec limits for lower and upper tolerance** 를 선택하였다면 [그림 5.2]와 같이 Chart 에 Spec 이 표시된다. [그림 5.1]의 **Chart Dispersion Type** 에서 **Range** 를 선택하면 **Standard Deviation Chart** 대신 **Range Chart** 가 출력된다.

[그림 5.2]

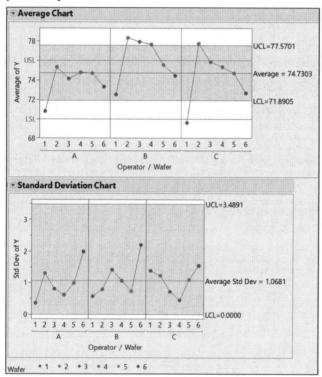

◑ 몇 가지 추가적인 분석을 하기 위하여 **Alt Key** 를 누른 상태에서 ▼**Measurement Systems Analysis for Y** 의 왼쪽 역삼각형을 클릭하여 아래와 같이 필요한 하위 옵션을 선택해 보기로 한다.

[그림 5.3]

- ☑ Average Chart
- ☑ Range Chart
- ☑ Parallelism Plots
- ☑ EMP Results
- ☑ Effective Resolution
- ☑ Bias Comparison
- ☑ Test-Retest Error Comparison
- ☐ Shift Detection Profiler
- ☑ Variance Components
- ☑ EMP Gauge R&R Results
- ☐ AIAG Gauge R&R Results
- ☐ Misclassification Probabilities
- ☐ Edit MSA Metadata

하나씩 살펴보자.

🖰 **Parallelism Plots** 는 6 개의 Wafer 에 대해 측정자 간에 측정 결과의 평균을 표시한 것인 데 상대적으로 측정자 A 가 다른 두 측정자보다 값을 적게 측정하고 그 패턴 또한 다소 차이가 남을 알 수 있다.

[그림 5.4]

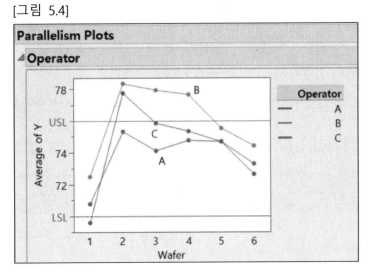

🖰 [그림 5.5]는 **EMP Test** 및 하단의 **Variance Components(분산 성분)** 결과이다. 이를 참조하여 EMP Test 의 결과를 좀 더 상세히 살펴보자.

[그림 5.5]

EMP Test	Results	Description
Test-Retest Error	1.1748	Within Error
Degrees of Freedom	18	Amount of information used to estimate within error
Probable Error	0.7924	Median error for a single measurement
Intraclass Correlation (no bias)	0.7733	Proportion of variation attributed to part variation without including bias factors
Intraclass Correlation (with bias)	0.6401	Proportion of variation attributed to part variation with bias factors
Intraclass Correlation (with bias and interactions)	0.6401	Proportion of variation attributed to part variation with bias factors and interactions
Bias Impact	0.1332	Amount by which the bias factors reduce the intraclass correlation
Bias and Interaction Impact	0.1332	Amount by which the bias factors and interactions reduce the intraclass correlation

Variance Components

Component	Variance Component	% of Total	20 40 60 80	Std Dev
Operator	1.2670441	17.2		1.12563053
Wafer	4.7091890	64.0		2.17006660
Operator*Wafer	0.0000000	0.0		0.00000000
Within	1.3801819	18.8		1.17481145
Total	7.3564151	100.0		2.71227120

-**Test-Retest Error** : 반복 측정에 따른 산포를 표현한다. Within 의 Std Dev 값이며 EMP Gauge R&R Results 의 반복성(Repeatability)에 대한 표준 편차 값이다.

-**Degrees of Freedom** : 6 개 샘플, 3 명의 측정자이므로 자유도(DF)는 18 이다.

-**Probable Error** : 측정 값에 대한 Median Error 를 뜻한다. **Test-Retest Error** 에 0.675 를 곱하여 계산한다. 정규 분포의 가운데 50% 가 (평균 +/- 0.675* 표준편차)이기 때문에 이렇게 계산한다.

-**Interclass Correlation(no bias)** : **Intraclass Correlation** 은 전체 변동에서 측정 대상(여기서는 wafer)간 변동이 차지하는 비율을 의미한다. **Variance Component** 값 기준으로 (부품 변동 / (총 변동-Operator- Interaction)) 또는 (부품 변동 / (부품 변동 + Repeatability)) 로 계산한다. **Interaction** 은 측정자와 부품 간의 교호작용 (Operator*Wafer)을, **Repeatabilit**y 는 Within 에 대한 Variance Component 값이다.

-**Interclass Correlation(with bias)** : (부품 변동 / (총 변동 - Interaction)) 으로 계산되며 총 변동에는 치우침 요인(Operator, Gauge 등)을 고려한다.

-Interclass Correlation(with bias and interactions) : (부품 변동 / (총 변동)으로 계산되며 총 변동에는 치우침 요인(Operator, Gauge 등)과 interaction 을 모두 고려한다.

-Bias Impact : Bias 에 의해 **ICC(intraclass Correlation Coefficient)** 값이 감소하는 정도이다.

-Bias and Interaction Impact : **Bias** 및 **Interaction** 에 의해 **ICC** 값이 감소하는 정도이다[15].

☞ [그림 5.6]은 **Classification** 능력에 대한 설명이다.

[그림 5.6]

System	Classification
Current (with bias)	Second Class
Current (with bias and interactions)	Second Class
Potential (no bias)	Second Class

◢ Monitor Classification Legend

Classification	Intraclass Correlation	Attenuation of Process Signal	Probability of Warning, Test 1 Only*	Probability of Warning, Tests 1-4*
First Class	0.80 - 1.00	Less than 11%	0.99 - 1.00	1.00
Second Class	0.50 - 0.80	11% - 29%	0.88 - 0.99	1.00
Third Class	0.20 - 0.50	29% - 55%	0.40 - 0.88	0.92 - 1.00
Fourth Class	0.00 - 0.20	More than 55%	0.03 - 0.40	0.08 - 0.92

* Probability of warning for a 3 standard error shift within 10 subgroups using Wheeler's tests, which correspond to Nelson's tests 1, 2, 5, and 6.

ICC(intraclass Correlation Coefficient)는 총변동 대비 부품간 변동의 비율을 뜻한다. ICC 값이 크면 부품간 변동이 크다. 즉 측정 시스템에 의한 변동이 작다는 뜻이므로 측정 시스템 능력이 좋다는 뜻이 된다. EMP 에서는 ICC 값에 따라 측정 시스템 능력을 4 단계로 구분하는 데, 지금은 분류(Classification) 능력이 2 등급(Second Class)이다.

오른쪽에 있는 세 가지 지표를 살펴보면,

-Attenuation of Process Signal : 공정 신호 감쇄량을 의미한다.

-Probability of Warning(경고 확률, Test 1 Only) : EMP 방법을 제시한 Wheeler 가 제시한 첫 번째 기준(관리도에서 Western Electric Rule 의

---

[15] 이 값은 Chart Dispersion Type 에서 범위 대산 표준 편차를 사용하는 교차(crossed) 모형에서만 표시된다.

첫 번째인 +/- 3*표준편차)을 사용하여 10 개의 Subgroup 내에서 3* 표준오차 밖으로 벗어나는 것을 감지해 낼 능력을 뜻한다. Second Class 의 경우 그 확률이 88% ~ 99% 라는 뜻이다.

-**Probability of Warning(경고 확률, Tests 1~4)** : 관리도에서 Western Electric Rule 의 네 가지 기준(1, 2, 5, 6 번째 기준)을 모두 사용하여 10 개의 Subgroup 내에서 3* 표준오차 밖으로 벗어나는 것을 감지해 낼 능력을 말한다.

Western Electric Rule 기준은 아래와 같다.

[그림 5.7]

Customize and Select Tests

n	Test description
3	☑ One point beyond n sigma - **Wheeler's Rule 1**
9	☐ n points in a row on a single side of the center line - **Wheeler's Rule 4 (when n = 8)**
6	☐ n points in a row steadily increasing or decreasing
14	☐ n points in a row alternating up and down
2	☐ n out of n+1 points in a row beyond 2 sigma - **Wheeler's Rule 2**
4	☐ n out of n+1 points in a row beyond 1 sigma - **Wheeler's Rule 3**
15	☐ n points in a row between +/- 1 sigma around the center line
8	☐ n points in a row on both sides of the center line with none within a distance of 1 sigma

Note: Tests 2, 5, and 6 apply to the upper and lower halves of the chart separately.

☞ **Effective Resolution** 은 측정 시스템의 분해능(resolution)에 대한 평가로서 요구되는 측정 단위에 대한 것이다. 여기서는 최소 측정 단위가 소수점 둘째 자리(0.01)는 되어야 함을 알려준다.

[그림 5.8]

Effective Resolution

Source		Value	Description
Probable Error	(PE)	0.7924	Median error for a single measurement
Current Measurement Increment	(MI)	0.01	Measurement increment estimated from data (in tenths)
Lower Bound Increment	(0.1*PE)	0.0792	Measurement increment should not be below this value
Smallest Effective Increment	(0.22*PE)	0.1743	Measurement increment is more effective above this value
Largest Effective Increment	(2.2*PE)	1.7433	Measurement increment is more effective below this value

Action: Drop a digit
Reason: The measurement increment of 0.01 is below the lowest measurement increment bound and should be adjusted to record fewer digits.

측정 증분(Measurement Increment)은 소수점 자리수(number of

decimal places)에 대한 평가를 뜻한다. 지금은 측정 증분 값이 소수점 둘째 자리이므로 0.01 이다. 이 값이 아래의 범위에 있어야 적절한 수준이라 할 수 있다.

0.22 * Probable Error < 측정 증분 < 2.2 * Probable Error

→ 0.22 * 0.7924 < 측정 증분 < 2.2 * 0.7924

→ 0.1743 < 측정 증분 < 1.7134

지금은 '0.01'로 0.22*PE(Probable Error) 보다 값이 작은 경우이다. 0.22*PE 보다 값이 작으면(소수점 자리수가 너무 많으면) 잡음이 포함될 가능성이 높고 2.2*PE 이상이면 소수점 자리수가 부족하여 분해능이 부족하다는 뜻이 된다. 지금은 소수점 자리수가 너무 많은 경우에 해당된다.

참고로 측정값을 1 단위로 Rounding 하여(**Column Property / New Formula Column / Transform / Round**) 그 값으로 EMP 분석을 해 보면 결과는 아래와 같이 적절한 소수점 단위로 분석된다.

[그림 5.9]

Effective Resolution			
Source		**Value**	**Description**
Probable Error	(PE)	0.7788	Median error for a single measurement
Lower Bound Increment	(0.1*PE)	0.0779	Measurement increment should not be below this value
Smallest Effective Increment	(0.22*PE)	0.1713	Measurement increment is more effective above this value
Current Measurement Increment	(MI)	1	Measurement increment estimated from data (in tenths)
Largest Effective Increment	(2.2*PE)	1.7134	Measurement increment is more effective below this value

Action: Use as is
Reason: The measurement increment of 1 is effective.

⌐ **Bias Comparison(Analysis of Comparison)** : 전체 평균과 각 측정자의 측정 평균과의 차이(즉 재현성)를 보여주는 그래프로서 측정 평균이 Decision Limit 를 벗어나는 측정자는 전체 평균과는 차이가 있다는 의미로 해석할 수 있다(UDL : Upper Decision Limit, LDL : Lower Decision Limit)

[그림 5.10]

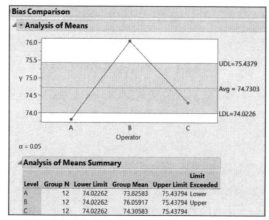

Test-Retest Error Comparison : 반복 측정한 값의 범위 평균(Mean of Range)으로 측정 시스템의 반복성을 나타낸다. 세 명의 측정자 모두 반복성 측면에서는 유의한 차이가 없음을 알 수 있다

[그림 5.11]

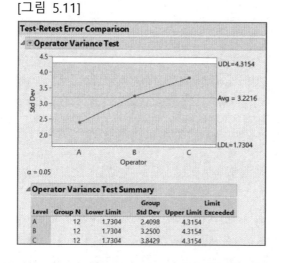

☞ EMP Gauge R&R Results 는 EMP Gauge R&R Results EMP 방법에 의한 측정 시스템 분석에 대한 최종 결론이다. 여기서는 %Contribution(% of Total) 값이 36%로 현재의 측정 시스템은 그리 양호하지 않는

것으로 판단된다[16].

[그림 5.12]

Component	Std Dev	Variance Component	% of Total	20 40 60 80
EMP Gauge R&R Results				
Gauge R&R	1.6270298	2.6472260	36.0	
Repeatability	1.1748115	1.3801819	18.8	
Reproducibility	1.1256305	1.2670441	17.2	
Product Variation	2.1700666	4.7091890	64.0	
Interaction Variation	0.0000000	0.0000000	0.0	
Total Variation	2.7122712	7.3564151	100.0	

☝ 참고로 ▼**Measurement Systems Analysis for Y** 의 왼쪽 역삼각형을 클릭하여 **Shift Detection Profiler(변화 감지 프로파일러)**를 활용하여 공정 평균을 모니터링하는 관리도가 다음 k 개의 subgroup 에 대해 경고 신호를 보낼 확률을 추정해 볼 수 있다. 이를 통해 관리도 민감도에 대한 Subgroup Size 의 효과에 대해 탐색이 가능하다. 즉, Bias 및 Test-Retest Error(반복성) 오류를 줄였을 경우에 대한 예측이라 할 수 있다.

기본적으로 Subgroup No, Part 의 평균 Shift 및 Std Dev 에 의해 Waring 확률이 정의된다.

1) **Number of Subgroup** : 신호가 감지될 때까지 부분군의 개수

2) **Part Mean Shift** : 감지할 평균 이동의 크기, 초기값은 MSA 에 의해 계산된 1*표준편차

3) **Part Std Dev** : 측정 Error 를 제외한 실제 부품값의 변동

4) **Bias Factors Std Dev** : 재현성(operator, instrument 등)과 관련된 표준편차

5) **Test-Retest Std Dev** : 반복성과 관련된 표준편차

6) **Subgroup Size** : 부분군당 관측 데이터의 개수

---

[16] [그림 5.12]에서 볼 수 있듯이 EMP 방법에서는 Interaction 부분을 측정 시스템 산포에 포함시키지 않고 별도로 계산한다.

반복성(Repeatability)에서는 Bias Factor 가 없으므로 **Bias Factors Std Dev** 의 디폴트 값은 1 이다. **Test-Retest Std Dev** 의 디폴트 값은 반복성 표준 편차(repeatability standard deviation)이다.

[그림 5.13]

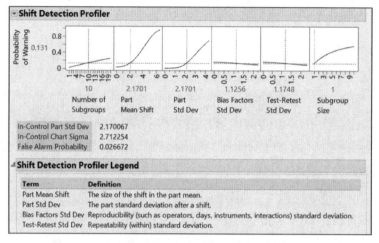

2. Type 1 Gauge

이번에는 [그림 3.9]의 내용 중에서 Type 1 Gauge 분석 방법에 대해 살펴보자. 이 기능은 JMP17 버전부터 추가된 기능으로 VDA(독일 자동차 공업 협회) 표준의 일부이기도 하다. Type 1 Gauge 분석은 편의(bias) 및 표준 대비 계측기 반복성에 대한 측정 시스템 평가이다.

Run Chart, Histogram 을 생성하고 계측기 반복성을 평가하기 위한 Cg, Cgk 등의 분석 결과가 출력되며 AIAG Gauge R&R 과 달리 측정자 1 명 및 측정 대상 1 개를 기준으로 평가한다.

'Type 1 Gauge.jmp' 데이터를 가지고 살펴보자. 하나의 측정 대상에 대해 50 회 반복 측정한 데이터이며 변수 Y 는 측정 시스템 분석에 필요한 **Metadata** (Tolerance 등)를 **Column Property** 에 입력한 경우이고 변수 Y-No metadata 에는 입력되어 있지 않다.

[그림 5.14]

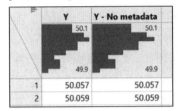

	Y	Y - No metadata
	50.1	50.1
	49.9	49.9
1	50.057	50.057
2	50.059	50.059

Y 변수에 대해 **Column Property / MSA** 를 확인해 보면 Type 1 Gauge 분석에
필요한 공차(Tolerance) 및 표준 값(Reference), 측정 분해능(Resolution)에 대한
정보가 포함되어 있다.

[그림 5.15]

Tolerance Range	2.000
Lower Tolerance	49.014
Upper Tolerance	51.014
Reference	50.014
Resolution	0.001
Historical Mean	.
Historical Process Sigma	.

🖰 **Analyze / Quality and Process / Measurement System Analysis** 에서
Y 변수를 **Y** 로 선택하고 **MSA Method** 에서 **Type 1 Gauge** 를 선택한다.
Options 의 내용 중 **Percent of Tolerance(공차 백분율)**는 측정 변동과
비교하는 데 사용되는 부품 공차의 백분율을 지정하며 기본 값은
20%로 **Run Chart** 에 표시되는 공차 비율선을 표현하는 데 사용된다.

[그림 5.16]

Select Columns	
▼2 Columns	
Y	
◢ Y - No metadata	

MSA Method

Type 1 Gauge ⌄

Options
Percent of Tolerance   20
Sigma Multiplier   6
Specify Alpha Level   0.05

Show Type 1 Gauge Metadata Entry Dialog
◉ If Needed (to set tolerance range and reference value)
○ Yes (to edit metadata)
○ No (to skip columns with no reference value)

☑ Use Spec Limits for Tolerance if Needed

Cast Selected Columns into Roles
Y, Response   ◢ Y
                optional numeric conti
Freq   optional numeric
By   optional

🖑 분석 결과에서 ▼**Type 1 Gauge Analysis for Y / Bias Test** 및 **Histogram** 을 클릭한다. 먼저 **Run Chart** 를 살펴보면 **Reference** 값과 **Reference +/- (0.1*Tolerance)** 값이 표시되어 있다.

[그림 5.17]

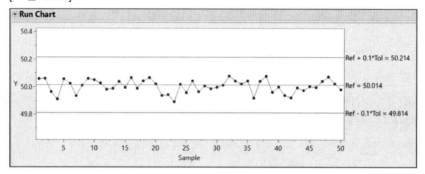

🖑 하단에는 Type 1 Gauge 분석 결과에 대한 통계량과 편의성(Bias) 검정 결과가 출력되어 있다.

[그림 5.18]

Summary and Capability Statistics		Bias Test	
Reference (Ref)	50.014	Bias	-0.01084
Mean	50.00316	Std Error	0.0067382
Std Dev	0.0476464	t Ratio	-1.608734
6*Std Dev	0.2858783	Lower 95 CI	-0.024381
N	50	Upper 95 CI	0.002701
Tolerance Range (Tol)	2	Prob>|t|	0.1141
Ref - 0.1*Tol	49.814		
Ref + 0.1*Tol	50.214		
Cg	1.3991968		
Cgk	1.3233603		
% Var for Repeatability	14.293915		
% Var for Repeatability and Bias	15.113042		
Bias	-0.01084		
Bias/Tol %	0.542		
Resolution (Res)	0.001		
Res/Tol %	0.05		

🖑 [그림 5.18]의 결과를 실행 윈도우의 옵션 설정값과 **MSA Metadata** 를 포함하여 정리해 보면 다음과 같다. Type 1 Gauge 분석은 계측기 반복성에 대한 분석인 데, 평가 지표로서 **Cg**, **Cgk** 1.33 이상을 기준으로 한다. 지금은 **Cg**, **Cgk** 값이 기준값과 매우 유사하므로 다른

사항들을 고려하여 반복성에 대한 합부 판정이 필요한 상황이다. [그림 5.18]의 오른쪽 편의성 검정(Bias Test) 결과를 보면 Pvalue 가 0.114 로 편의성에 문제가 있다고 판정하기는 어려운 상황이다.

[그림 5.19]

구분		값	설명
옵션	Percent of Tolerance(p)	20	공차 백분율
	Sigma Multiplier(K)	6	
Meta data	Tolerance Range	2	공차 범위
	Lower Tolerance	49.014	
	Upper Tolerance	51.014	
	Reference (Ref)	50.014	
	Resolution	0.001	
통계량	Mean	50.00316	측정값의 평균
	Std Dev	0.047646385	측정값의 표준편차
	6*Std Dev	0.285878307	6(K) * 표준편차
	N	50	측정 데이터 수
	Tolerance Range (Tol)	2	공차 범위
	Ref - 0.1*Tol	49.814	Ref - (0.1*공차 범위)
	Ref + 0.1*Tol	50.214	Ref + (0.1*공차 범위)
	Cg	1.399196756	0.2*공차 범위/(6*StDev)
	Cgk	1.323360292	(0.1*공차범위-절대값(Bias))/(3*StDev)
	% Var for Repeatability	14.29391536	반복성, (6*StDev / 공차 범위)*100
	% Var for Repeatability and Bias	15.11304225	공차 백분율 / Cgk
	Bias	-0.01084	편의(Mean - Ref)
	Bias / Tol %	0.542	(절대값(Bias)/Tol)*100
	Resolution (Res)	0.001	
	Res/Tol %	0.05	(res / tol) * 100

✍ 마지막으로 Reference 값과 50 개의 측정 결과에 대한 **Histogram** 을 보면 [그림 5.18]의 Bias 값 -0.01084 에서 알 수 있듯이 Reference 값보다 측정 결과가 다소 작다는 것이 확인된다.

[그림 5.20]

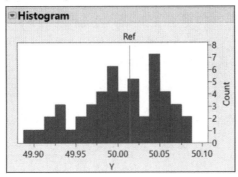

🖐 만약 [그림 5.16]의 실행 화면에서 **MSA Metadata**가 없는 변수를 Y로 선택하고 OK를 클릭하면 Metadata 입력을 위한 윈도우가 표시된다. **Tolerance Entry type**에서 **Tolerance Range** 또는 **Lower and Upper Tolerance** 선택 후 해당 데이터를 입력하면 된다. 물론 관련된 Metadata table이 있을 경우 이를 불러와서 활용할 수도 있다.

[그림 5.21]

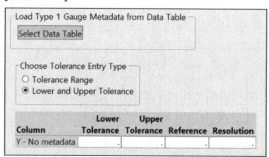

3. 범주형 데이터에 대한 측정 시스템 분석

JMP에서는 범주형(categorical) 데이터를 보통 명목형(nominal)과 순서형(ordinal)으로 구분하는 데 측정 시스템 분석에서는 범주형을 속성(attribute)으로 취급하여 범주형 데이터에 대한 측정 시스템 분석을 **Attribute Gauge R&R**이라고 한다. 측정 결과를 합격(pass) 및 불합격(fail)으로 구분하거나 몇 가지 등급으로 분류하는 경우가 대표적인 경우이다.

JMP 내에 있는 'Attribute Gauge.jmp' 데이터를 가지고 살펴보자. 이 데이터는 50개 시료에 대해 3명이 세 번씩 측정한 것(총 측정회수는 3명*50개*3회 반복 = 450회)으로 측정 결과는 양품(0), 불량(1)으로 판정되어 있으며 표준값(Standard)이 입력되어 있다.

72

[그림 5.22]

	Part	Standard	Code	A	B	C
			0			
16	6	1	x	1	1	1
17	6	1	x	1	1	0
18	6	1	x	0	0	0

🖱 **Analyze / Quality and Process / Variability, Attribute Gauge Chart** 에서 다음과 같이 선택, **Chart Type** 에서 **Attribute** 를 선택한다.

[그림 5.23]

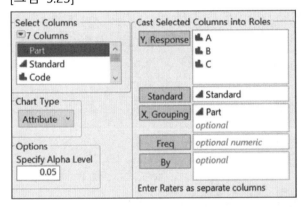

🖱 **Gauge Attribute Chart** 에서는 각 부품별로 측정 일치도(3 명이 3 회씩 반복 측정이므로 총 9 회 중 일치하는 확률)와 측정자별 일치도를 나타낸다[17].

---

[17] 여기서 일치도 계산은 (일치 회수/총 회수)처럼 간단히 계산되는 것은 아니고 좀 복잡한 과정을 거쳐 계산된다. 예를 들어 [그림 5.22]의 6 번 시료의 경우 측정 결과는 표준값 대비 일치회수 5 회, 불일치회수 4 회인 데, 이에 대한 일치도는 다음과 같이 계산된 결과이다. 그 외 측정자별 일치도 일치도 등은 JMP Help 등을 참조하길 바란다.

$$\frac{\binom{불일치회수}{2}+\binom{일치회수}{2}}{\binom{총회수}{2}} = \frac{\binom{4}{2}+\binom{5}{2}}{\binom{9}{2}} = \frac{\frac{4!}{2!(4-2)!}+\frac{5!}{2!(5-2)!}}{\frac{9!}{2!(9-2)!}} = \frac{6+10}{36} = 0.444$$

[그림 5.24]

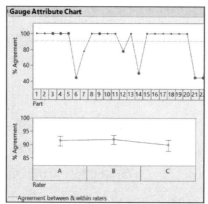

🔖 **Agreement Report(일치도 보고서)**에는 각 측정자별 요약된 일치도와 신뢰구간 및 전체 일치도, 신뢰 구간이 표시된다. [그림 5.24] **Gauge Attribute Chart**의 두 번째 그래프와 동일한 내용이다.

[그림 5.25]

Agreement Report			
Rater	% Agreement	95% Lower CI	95% Upper CI
A	91.4286	89.5082	93.0248
B	91.9048	90.0502	93.4388
C	89.8095	87.6057	91.6588

Number Inspected	Number Matched	% Agreement	95% Lower CI	95% Upper CI
50	39	78.000	64.758	87.246

🔖 **Agreement Comparisons(일치도 비교)**에는 측정자간 그리고 각 측정자의 측정값과 Standard 대비 일치도(일치도)를 **Kappa 통계량**으로 확인할 수 있다. 일반적으로 Kappa 통계량이 60% ~ 70% 이상이면 측정시스템이 양호하다고 판단한다[18].

---

[18] Kappa 통계량은 평가자간 평가 결과의 일치도를 계산하는 지표인 데 이에 대해서는 2부 6장 '실무 활용을 위한 몇 가지 토픽'의 'Kappa 통계량의 계산' 편을 참조하길 바란다.

[그림 5.26]

Agreement Comparisons					
Rater	Compared with Rater	Kappa	.2 .4 .6 .8		Standard Error
A	B	0.8629			0.0442
A	C	0.7761			0.0547
B	C	0.7880			0.0537

Rater	Compared with Standard	Kappa	.2 .4 .6 .8		Standard Error
A	Standard	0.8788			0.0416
B	Standard	0.9230			0.0338
C	Standard	0.7740			0.0551

☝ **Agreement with Raters(평가자 내 일치도)**에는 검사 수와 일치한 수(매칭 수), 신뢰 구간이 표시되고 **Agreement across Categories (범주 간 일치도)**는 분류에서 우연에 의해 기대할 수 있는 일치도가 표시되는 데 항목을 분류할 때 고정된 수의 평가자 간 일치도를 평가한다.

[그림 5.27]

Agreement within Raters					
Rater	Number Inspected	Number Matched	Rater Score	95% Lower CI	95% Upper CI
A	50	42	84.0000	71.4858	91.6626
B	50	45	90.0000	78.6398	95.6524
C	50	40	80.0000	66.9629	88.7562

Agreement across Categories				
Category	Kappa	.2 .4 .6 .8		Standard Error
0	0.7936			0.0236
1	0.7936			0.0236
Overall	0.7936			0.0236

☝ **Effectiveness Report(유효성 보고서)**의 **Agreement Counts**(일치 개수)는 모든 측정자의 측정값을 표준 값과 비교한 결과이다. 예를 들어 측정자 A 는 표준 값 '0'에 대해 45 개가 일치하고 3 개가 불일치하며 표준 값 '1'에 대해서는 97 개가 일치, 5 개가 불일치한다.

Effectiveness(유효성)은 일치 판단 수를 총 기회 수로 나눈 값이다.

예를 들어 평가자 A 는 총 기회 수 150 번 중 표준 값과 일치한 회수가 142 회이므로 142/150 = 94.6667 % 이다. 이것은 특정 시료에 대해 반복 측정된 값이 모두 같을 때에만 일치한 것으로 간주하는 연속형 데이터에 대한 측정 시스템 분석에서 말하는 일반적인 기준과 다르다.

Misclassifications(오분류)는 평가자별 **Agreement Counts(일치 개수)**에 대한 정보를 요약하여 표준값 대비 오분류한 개수를 나타낸다. [그림 5.28]

Effectiveness Report

Agreement Counts

Rater	Correct(0)	Correct(1)	Total Correct	Incorrect(0)	Incorrect(1)	Grand Total
A	45	97	142	3	5	150
B	45	100	145	3	2	150
C	42	93	135	6	9	150

Effectiveness

Rater	Effectiveness	95% Lower CI	95% Upper CI	Error rate
A	94.6667	89.8296	97.2730	0.0533
B	96.6667	92.4348	98.5680	0.0333
C	90.0000	84.1565	93.8459	0.1000
Overall	93.7778	91.1542	95.6603	0.0622

Misclassifications

Standard Level	0	1
0	.	16
1	12	.
Other	0	0

☞ **Conformance Report(적합 보고서)**에서 **P(False Alarms)**는 1 종 오류 (적합품을 부적합품으로 판단한 오류)를 나타내고 **P(Misses)**는 2 종 오류(부적합품을 적합품으로 판단한 오류)를 뜻한다. ▼**Conformance Report / Calculate Escape Rate** 를 선택하여 탈출 속도(부적합품이 생산되었지만 감지되지 않을 확률)를 계산할 수 있다. **Escape Rate(탈출 속도)**는 **P(Misses) * Probability of Nonconformance** 로 계산된다.

[그림 5.29]

Conformance Report				
Rater	**P(False Alarms)**	**P(Misses)**	**Assumptions**	
A	0.0625	0.0490	NonConform =	1
B	0.0625	0.0196	Conform =	0
C	0.1250	0.0882		

Escape Rate	
Rater	**Escape Rate**
A	0.00245
B	0.00098
C	0.00441

Probability of Nonconformance = 0.05

◔ ▼**Attribute Gauge / Show Effectiveness Points** 및 **Connect Effectiveness Points** 를 클릭하여 [그림 5.28]의 **Effectiveness(유효성)** 결과를 [그림 5.25]의 **Agreement(일치도)**와 비교하여 살펴볼 수 있다. 평가자 C 의 경우 다른 두 평가자에 비해 **Agreement(일치도)**와 **Effectiveness(유효성)**의 차이가 거의 나지 않는 것이 특이하다.

[그림 5.30]

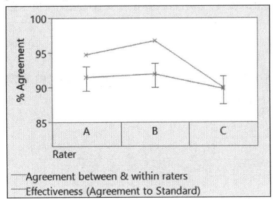

6 장. 실무 활용을 위한 몇 가지 토픽

6 장에서는 측정 시스템 분석의 실무 활용과 관련한 몇 가지 토픽에 대해 살펴보고자 한다.
1) 측정 시스템 변동의 공정 능력 지수에 대한 영향
2) 변동성 차트(Variability Chart)
3) 측정 시스템을 위한 디자인
4) Kappa 통계량의 계산
5) 파괴 검사의 경우 측정 시스템 분석

1. 측정 시스템 변동의 공정 능력 지수에 대한 영향

측정 시스템의 공정 능력 지수에 대한 영향을 살펴보자. 이를 위해 대표적인 공정 능력 지수인 **Cp** 와 5 장 1 절 EMP(Evaluating the Measurement Process) 방법론에서 살펴본 **ICC(intraclass Correlation Coefficient)** 개념을 활용해 보기로 한다.

Cp 는 공차(Tolerance) 대비한 공정의 표준편차($\sigma_{process}$)로서, 실제 Cp 는 다음과 같은 공식으로 계산된다.

$$C_P = \frac{(USL - LSL)}{6 * \sigma_{process}}$$

$$C_P = \frac{(USL - LSL)}{6 * \sigma_{process}}$$

만약, 측정된 공정의 표준편차($\sigma_{process}$)에 측정 시스템에 의한 산포가 포함되어 있다면 측정된 Cp 는 다음과 같이 표현할 수 있을 것이다.

$$C_P = \frac{(USL - LSL)}{6 * \sigma_{total}}$$

측정된 Cp 는 보다 엄밀히 말하면 실제 Cp 에서 전체 변동에서 프로세스 변동이 차지하는 비율만큼을 감안하면 되므로 분모, 분자에 $\sigma_{process}$를 곱하고,

측정된 $C_P = \frac{(USL-LSL)}{6*\sigma_{process}} * \frac{\sigma_{process}}{\sigma_{total}}$

아래의 공식을 활용하여 $\sigma_{process}$를 치환해 보면,

$$\sigma^2_{total} = \sigma^2_{process} + \sigma^2_{R\&R}$$

다음과 같이 정리할 수 있다.

$$\text{측정된 } C_P = \text{실제} C_P * \frac{\sqrt{\sigma^2_{part} - \sigma^2_{R\&R}}}{\sigma_{total}}$$

$$= \text{실제} C_P * \sqrt{1 - \frac{\sigma^2_{R\&R}}{\sigma^2_{total}}}$$

$$= \text{실제} C_P * \sqrt{1 - \left(\frac{\%R\&R}{100}\right)^2}$$

즉 %R&R 값이 커질수록 측정된 Cp 는 실제 Cp 보다 작아지므로, %R&R 값이 커지면 Cp 로 대변되는 공정 능력 지수가 과소 평가된다.

'Cp impact by MSA.jmp' 데이터는 이러한 관계를 시뮬레이션하여 구한 결과인데 실제 Cp 가 1.5 일 때 %R&R 이 50 이면 측정된 Cp 값은 약 1.299 가 되고, 실제 Cp 가 2 일 때 %R&R 이 80 이면 측정된 Cp 값은 약 1.2 가 됨을 알 수 있다.

[그림 6.1]

	실제 Cp	%R&R(1)	%R&R(5)	%R&R(10)	%R&R(20)	%R&R(30)	%R&R(50)	%R&R(80)
13	1.3	1.2999349984	1.2983739831	1.2934836682	1.2737346662	1.2401209618	1.1258330249	0.78
14	1.4	1.3999299982	1.3982489049	1.3929824119	1.371714256	1.335514882	1.2124355653	0.84
15	1.5	1.4999249981	1.4981238267	1.4924811557	1.4696938457	1.4309088021	1.2990381057	0.9
16	1.6	1.599919998	1.5979987484	1.5919798994	1.5676734354	1.5263027223	1.3856406461	0.96
17	1.7	1.6999149979	1.6978736702	1.6914786431	1.6656530251	1.6216966424	1.4722431864	1.02
18	1.8	1.7999099977	1.797748592	1.7909773868	1.7636326148	1.7170905626	1.5588457268	1.08
19	1.9	1.8999049976	1.8976235138	1.8904761305	1.8616122045	1.8124844827	1.6454482672	1.14
20	2	1.9998999975	1.9974984355	1.9899748742	1.9595917942	1.9078784028	1.7320508076	1.2

[그림 6.2]는 요약된 결과이다.

[그림 6.2]

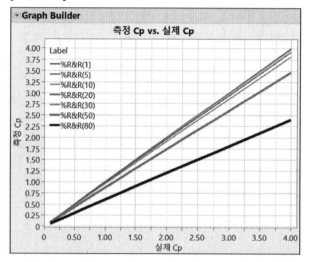

이번에는 EMP(Evaluating the Measurement Process) 방법론에서 살펴본 **ICC(intraclass Correlation Coefficient)** 개념을 활용하여 살펴보자[19].

다시 정리하면 공정의 표준편차는 다음과 같이 부품(측정 대상)의 표준편차와 계측기 변동으로 인한 표준 편차(σR&R)로 분해할 수 있다. 계측기 변동으로 인한 표준편차가 커지면 측정된 공정 표준편차(σ_{total})가 커지므로 그로 인해 공정 능력 지수 Cp 가 감소하게 된다.

$$\sigma_{total}^2 = \sigma_{part}^2 + \sigma_{R\&R}^2$$

또한 ICC 는 총변동 대비 부품간 변동의 비율이므로 다음과 같이 표현된다.

$$ICC = \frac{\sigma_{part}^2}{\sigma_{part}^2 + \sigma_{R\&R}^2} = \frac{\sigma_{part}^2}{\sigma_{total}^2}$$

측정 시스템 분석에서 공차(Tolerance) 대비한 반복성과 재현성의 비율은

---

[19] 이 부분에 대한 설명은 JMP 본사의 교육용 교재 'Measurement System Analysis(2021 년 9 월)을 참고하였다. 여기서의 σ_{part}^2 는 앞에서 설명한 $\sigma_{process}^2$ 와 동일한 의미이다.

%Tolerance 로 표현할 수 있는 데,

$$\%\text{Tolerance} = \frac{6 * \sigma_{R\&R}}{(USL - LSL)}$$

Cp 와 %Tolerance 값을 곱하여 계산을 한 번 해 보자.

$$C_P * \%\text{Tolerance} = \frac{(USL-LSL)}{6*\sigma_{total}} * \frac{6*\sigma_{R\&R}}{(USL-LSL)}$$
$$= \frac{\sigma_{R\&R}}{\sigma_{total}}$$

이 결과에서 제곱을 하게 되면 Cp, ICC 및 %Tolerance 간에 다음과 같은 결론을 도출할 수 있다.

$$(C_P * \%\text{Tolerance})^2 = \frac{\sigma_{R\&R}^2}{\sigma_{total}^2} = \frac{\sigma_{total}^2 - \sigma_{part}^2}{\sigma_{total}^2}$$

$$(C_P * \%\text{Tolerance})^2 = 1 - \frac{\sigma_{part}^2}{\sigma_{total}^2} = 1 - ICC$$

$$C_P = \frac{\sqrt{1 - ICC}}{\%\text{Tolerance}}$$

[그림 6.3]은 이 관계를 그래프로 표현한 것이다. X 축은 %Tolerance, Y 축은 ICC 값이며 %Tolerance 30% 및 EMP 방법론에서 1 등급의 기준이 되는 ICC 값 0.8 에 Reference line 이 표시되어 있다. Cp 값을 기준으로 삼분면으로 분할되어 있는 데, 오른쪽 상단은 Cp 1.33 이하, 왼쪽 하단은 Cp 2 이상에 해당된다.

Reference Line 기준으로 사분면으로 나누어 살펴보자. 왼쪽 위쪽은 ICC 값이 높으므로 측정 시스템에 양호하다는 뜻이며 &Tolerance 값이 작으므로 Cp 값은 측정 시스템보다는 측정 대상의 산호에 의존한다고 볼 수 있다. 오른쪽 위 사분면은 ICC 는 양호하지만 &Tolerance 가 큰 영역이다. 계측기는 공정 능력을 파악하기에 나쁘지 않지만 Spec(Tolerance)이 엄격한 영역이다. 오른쪽 하단은 ICC 가 낮고, %Tolerance 또한 좋지 못한 영역이다. ICC 값이 낮다는 것은 측정 시스템이 좋지 않다는 것을 뜻하고 %Tolerance 값이 크다는 것은 Spec(Tolerance)이 측정 대상의 변동보다 엄격한 영역임을 암시한다. 마지막으로 왼쪽 아래 사분면은 ICC 가 낮고 %Tolerance 또한 작다. 측정 시스템은 좋지 않지만 Spec(Tolerance)이 넓으므로 Spec(Tolerance) 대비해서는 측정 시스템의 산포가 중요하지 않을 수도 있는 영역이다.

[그림 6.3]

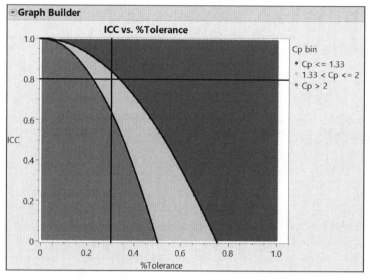

2. 변동성 차트(Variability Chart)

X 인자가 범주형일 때 범주형 변수의 범주에 따른 변동의 정도를 확인하는 방법으로 변동성 차트(Variability Chart)를 많이 활용한다. 변동성 차트는 종종 다중 변동 차트(Multi-Vari Chart)라고도 불리는 것으로 X 인자가 시간 등의 연속형일 때 많이 활용되는 관리도(Control Chart)에 대비되는 그래프라 할 수 있다.

'Heterogeneity of Variance test.jmp' 데이터를 가지고 **변동성 차트(Variability Chart)**와 이와 관련하여 분석하는 방법 중의 하나인 **분산의 이질성 검정 (Heterogeneity of Variance Test)**에 대해서도 살펴보자. 이 데이터는 10 개의

부품에 대하여 3 명의 측정자가 각각 3 회 반복 측정한 결과이다.

 Analyze / Quality and Process / Variability, Attribute Gauge Chart 에서 **Chart Type** 을 **Variability** 로 설정하고, Measurement 를 **Y** 로, Operator 를 **X** 로, part#를 **Part, Sample ID** 로 선택한다. 그런 다음 분석 결과에서 ▼**Variability Gauge ~** 에 들어가서 **Grand Mean, Group Means, Xbar Control Limits, Group Means of Std Dev** 등을 선택한다.

[그림 6.4]

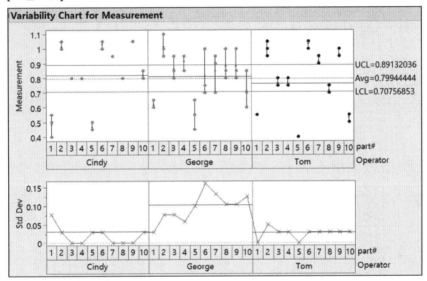

 [그림 6.4]에서 점으로 표시된 부분이 실제 측정 값이고, 수직으로 세 점(세 번 반복 측정)을 이은 선의 길이가 일종의 반복 측정의 산포이므로 측정자 세 명 중에 George 의 반복 측정 산포가 가장 크다고 할 수 있다. 두 번째 그래프의 Y 축은 표준 편차이므로 George 의 측정 산포가 크다는 것을 더욱 분명하게 확인할 수 있다.

 물론 이러한 변동성은 JMP 의 다른 기능을 통해서도 파악할 수 있다. [그림 6.5]와 [그림 6.6]은 **Graph Builder** 를 활용한 결과인 데 [그림 6.5]는 Boxplot 과 Line Graph 로, [그림 6.6]은 측정값(Measurement)의 표준편차를

Bar Graph 로 나타낸 것이다.

[그림 6.5]

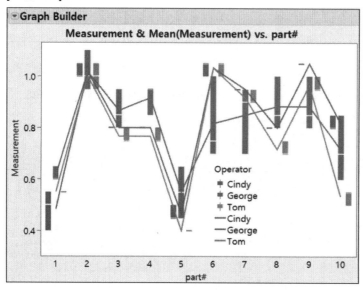

[그림 6.6]

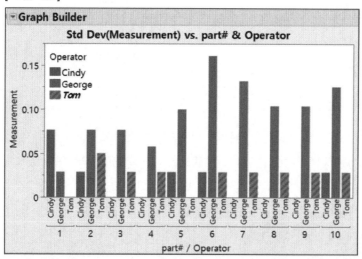

☞ 앞에서 변동성 차트는 범주형 변수의 범주에 따른 변동의 정도를 확인하는
그래프라 하였는 데, ▼Variability Gauge ~ / Variability Summary Report

를 클릭하면 세부적인 범주별로 통계량을 확인할 수 있다. [그림 6.7]은 그 중의 일부이다.

[그림 6.7]

Variability Summary for Measurement						
	Mean	Std Dev	CV	Std Err Mean	Lower 95%	Upper 95%
Measurement	0.799444	0.192922	24.13197	0.020336	0.759038	0.839851
Operator[Cindy]	0.821667	0.203285	24.74054	0.037115	0.745759	0.897574
Operator[George]	0.811667	0.162249	19.9896	0.029622	0.751082	0.872251
Operator[Tom]	0.765	0.211379	27.63123	0.038592	0.68607	0.84393
Operator[Cindy] part#[1]	0.483333	0.076376	15.80199	0.044096	0.293604	0.673062
Operator[Cindy] part#[2]	1.016667	0.028868	2.839428	0.016667	0.944956	1.088378
Operator[Cindy] part#[3]	0.8	0	0	0	0.8	0.8

⚓ 변동성 차트의 하위 기능에 있는 **분산의 이질성 검정(Heterogeneity of Variance Test, 이분산 검정)**에 대해 알아보자.

1) 분산의 이질성 검정은 **ANOMV(Analysis of Means for Variances)**에 기반한 방법으로

2) 특정 범주의 표준 편차가 평균 그룹 분산의 제곱근(square root of the average group variance)과 다른 지를 검정하는 방법이다.

3) 비정규 데이터에 대한 강건성(robustness)을 가지기 위하여 순열 시뮬레이션(Permutation Simulation)을 실행하므로 Decision Limit 등이 실행 시마다 약간씩 달라질 수 있다.

4) 이 방법을 통해 측정자의 측정 분산, 각 부품의 분산 및 측정자 및 부품 조합의 분산이 서로 같은 지 다를 지를 확인할 수 있다. 기본적으로 Decision Limit(Upper, Lower)를 벗어났는 지 아닌 지를 가지고 판단한다.

⚓ 이를 위해서는 **▼Variability Gauge ~** 에서 **Heterogeneity of Variance Tests** 를 선택한다. 그런 다음 **▼ Operator Variance Test / Show Summary Report** 를 클릭하여 **Operator Variance Test** 결과를 보면 세 명 모두 Decision Limit 를 벗어나지 않았음으로 세 측정자의 분산이 다르다고 볼 수 없다.

[그림 6.8]

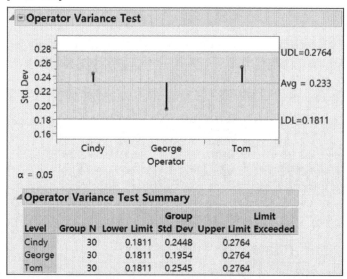

◦ **part# Variance Test** : 분석 결과가 [그림 6.9]와 같다면 부품의 분산은 모두 Decision Limit 내에 있으므로 부품간 분산이 다르다고 볼 수 없다.

[그림 6.9]

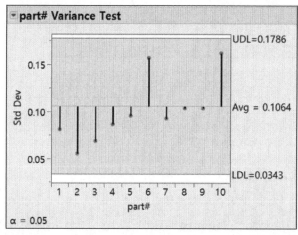

◦ 마지막으로 **Operator*part# Variance Test** 를 보면 Decision Limit 를 넘어선 것은 없으나 Decision Limit 상에 존재하는 데이터가 일부 있으므로 측정자 및 부품 조합의 분산, 즉 상호 작용에 대해 추가적인 파악을 해야 할

것으로 보인다.

[그림 6.10]

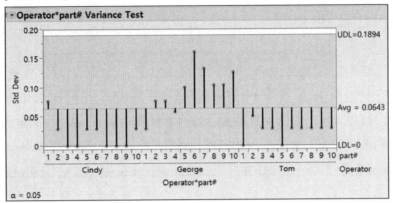

▼Variability Gauge ~ / Gauge Studies / Gauge R&R Plots / Mean Plot 에서도 측정자와 부품간의 교호작용을 확인해 볼 수 있다.

[그림 6.11]

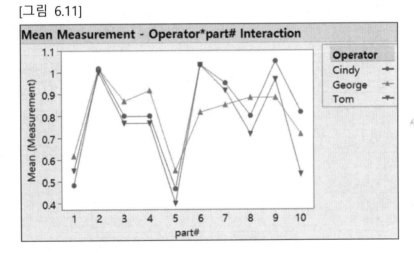

3. 측정 시스템 분석을 위한 디자인

측정 시스템 분석을 하기 위해서는 일종의 측정 시스템 분석 계획표라 할 수 있는 측정 결과를 입력하고 분석할 수 있는 표가 필요하다.

측정 시스템 분석은 재현성을 확인하기 위해 두 명 이상의 측정자, 반복성을 확인하기 위한 반복 측정 및 여러 시료(실험 런)를 기본으로 측정 장비, 측정 방법 등이 요인(Factor)으로 포함되는 **이원 분산분석(Two Way ANVOA)**와 매우 유사하다. 이러한 사유로 JMP 에서 측정 시스템 디자인 기능은 DOE Platform 아래에 위치해 있다(**DOE / Special Purpose / MSA Design**). 이 기능을 이용하면 MSA Table 이 생성되고 측정 결과를 입력할 수 있는 측정자별 Sheet 또한 함께 만들어져 측정 결과를 입력하면 데이터 테이블에서 측정 시스템 분석을 바로 실행할 수 있다.

10 개의 부품, 3 명의 측정자, 3 회 반복 측정하여 총 90 회 측정하는 것에 대한 디자인을 해 보자.

🖰 **DOE / Special Purpose / MSA Design** 에 들어가서 측정 결과(Response)에 대한 정보를 입력하고(이것은 입력하지 않아도 됨), Factors 에서 Factor 의 이름, 역할(Part, Operator, Gauge, None 중에서 선택)을 선택하고, Level 의 수 및 랜덤화(Randomize) 여부(Yes 또는 No)를 결정한다.

[그림 6.12]

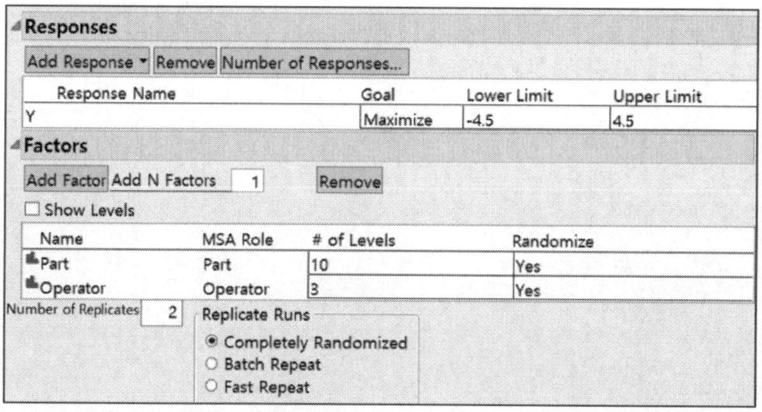

- **Number of Replicates** 의 의미는 디자인 내용에 대한 추가 반복 회수의 의미이므로 3 회 반복 측정하고자 한다면 '2'를 입력하여야 한다.

- **Replicate Runs** 는 3 회 반복과 관련된 랜덤화 방법에 대한 옵션이다.
  Fast Repeat 는 Part 를 랜덤하게 한 다음, 각 Part 별로 측정자 세 명이 3 회씩 반복 측정하는 순서로 디자인된다. 두 번째 Part 로 변경되면 측정자 순서는 다시 랜덤하게 변경된다.
  [그림 6.13]

Design			
Run	Part	Operator	Replicate
1	L2	L1	1
2	L2	L1	2
3	L2	L1	3
4	L2	L2	1
5	L2	L2	2
6	L2	L2	3
7	L2	L3	1
8	L2	L3	2
9	L2	L3	3
10	L3	L1	1
11	L3	L1	2

  Batch Repeat 는 반복(Replicate) 3 회를 Batch 로 인식하여 그 Batch 내에서 랜덤하게 디자인하는 옵션이며,
  [그림 6.14]

Design			
Run	Part	Operator	Replicate
28	L8	L3	1
29	L8	L1	1
30	L8	L2	1
31	L10	L2	2
32	L10	L1	2
33	L10	L3	2
34	L4	L2	2
35	L4	L3	2

  Completely Randomized 는 총 90 회 측정에 대한 측정 순서를 완전한 랜덤으로 디자인하는 옵션이다.

- **Completely Randomized** 를 선택한 후의 최종적인 **MSA Design** 결과는 아래와 같다. 실제 측정값 입력 후 Table Panel 의 **EMP MSA 와 Gauge**

R&R 을 클릭하면 각각 EMP 및 AIAG Gauge R&R 방법으로 측정 시스템 분석을 할 수 있으며 **Operator Worksheets** 에는 측정자별 측정 Sheet 가 포함되어 있다.

[그림 6.15]

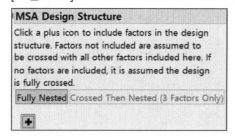

Run Order	Part	Operator	Y
1	1 L9	L3	•
2	2 L2	L1	•
3	3 L5	L2	•
4	4 L7	L3	•
5	5 L4	L1	•
6	6 L8	L3	•
7	7 L1	L2	•
8	8 L1	L2	•
9	9 L4	L3	•
10	10 L8	L3	•
11	11 L4	L2	•
12	12 L8	L1	•
13	13 L8	L1	•
14	14 L2	L1	•
15	15 L10	L2	•
16	16 L2	L2	•

☝ **DOE Dialogue** 에서 **MSA Design Structure** 에서는 **교차(Crossed)** 및 **내포(Nested)** 등을 설정할 수 있다. 기본 설정은 다른 모든 요인이 서로 교차(Crossed)된다고 가정한다[20].

[그림 6.16]

MSA Design Structure
Click a plus icon to include factors in the design structure. Factors not included are assumed to be crossed with all other factors included here. If no factors are included, it is assumed the design is fully crossed.

Fully Nested   Crossed Then Nested (3 Factors Only)

＋

---

[20] 예를 들어 부품 6 개와 측정자 2 명이 있다고 가정할 경우, 모든 측정자가 모든 부품에 대해 동일한 회수로 반복 측정할 때 부품은 측정자와 교차(Crossed)되어 있다고 말한다. 반면에 측정 장소가 분리되어 있거나 측정 과정에서 측정 대상이 변동되는 등의 사유로 측정자 A 는 1 번부터 3 번 부품까지 측정하고, 측정자 B 는 4 번, 5 번, 6 번 부품을 측정할 경우 부품은 측정자에 내포(Nested)되어 있다고 말한다. 즉, 내포의 의미는 특정한 부품간의 변동이 특정한 측정자에게서만 발생한다는 뜻이다.

4. Kappa 통계량의 계산

"5 장. 측정 시스템 분석의 다른 방법"의 '범주형 데이터에 대한 측정 시스템 분석'에서 살펴본 것처럼 계수형(범주형) 측정 결과일 때 일치도 및 Kappa 통계량을 활용할 수 있는 데, 이번에는 일치도 및 Kappa 통계량의 계산 방식에 대해 좀 더 살펴보자.

명확한 이해를 위하여 간단한 데이터를 가지고 살펴보자. 불량(1)과 양품(0)이라는 결과를 가지는 데이터이며 표준값은 모두 불량(1)인 A, B, C 세 명의 측정결과이다.

[그림 6.17] 'simple agreement study.jmp'

	Part	Standard	A	B	C
1	1	1	1	1	1
2	1	1	1	1	0
3	1	1	0	0	0

☞ **Analyze / Quality and Process / Variability, Attribute Gauge Chart** 에서
아래와 같이 선택한다.

[그림 6.18]

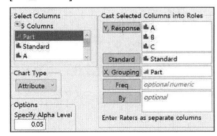

☞ 먼저 전체 일치도(Agreement, 또는 합치도)에 대해 살펴보자.

[그림 6.19]

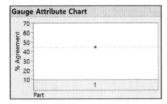

일치도는 아래의 공식에 의해 계산된다.

$$A = \frac{\sum_{i=1}^{k} \binom{n_i}{2}}{\binom{N_i}{2}}$$

여기서 각각의 의미는 다음과 같다.

i : 부품의 개수, 여기서는 1

k : 구분 범주의 개수, 여기서는 양품(0),, 불량(1) 두 가지이므로 2

ni : 주어진 범주별 데이터의 개수,

　　여기서는 양품(0),, 불량(1)에 대해 각각 4, 5

Ni : 총 측정회수, 여기서는 9

공식에 입력하면 다음과 같이 계산된다.

$$\frac{\binom{불일치회수}{2}+\binom{일치회수}{2}}{\binom{총회수}{2}} = \frac{\binom{4}{2}+\binom{5}{2}}{\binom{9}{2}} = \frac{\frac{4!}{2!(4-2)!} + \frac{5!}{2!(5-2)!}}{\frac{9!}{2!(9-2)!}} = \frac{6+10}{36} = 0.444$$

🖰 다음은 평가자별 일치도이다.

[그림 6.20]

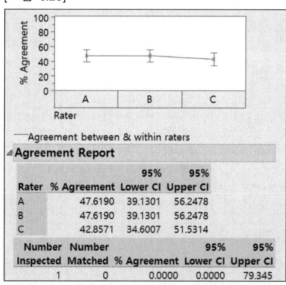

계산 공식은 다음과 같다.

$$Agreement = \frac{\sum_{i=1}^{n} \sum_{j=1}^{r_i} n_u}{\sum_{i=1}^{n} \sum_{j=1}^{r_i} (N_i - j)}$$

각각의 의미는 다음과 같다.

n : 평가자 수, 여기서는 3

r_i : 각 평가자별 반복 측정 수, 여기서는 3

n_u: 계산되지 않은 매칭 Level의 수 ₌

Ni : 평가자별 총 평가수, 여기서는 9

계산 과정을 풀어서 살펴보자. 열(row)별로 계산이 필요한 데, 평가자 A 기준으로 살펴보면 첫 번째 열 기준으로 (일치 회수 / 나머지 총 회수)를 구하면 4/8 이 된다.

[그림 6.21]

A	B	C
1	1	1
1	1	0
0	0	0

그 다음 두 번째 열 기준으로 동일한 방식으로 계산하여 분모, 분자에 각각 합산한다. 회수에서 첫 번째 데이터는 제외한다. 계산하면 (4+3 / 8+7) 이 된다.

[그림 6.22]

A	B	C
1	1	1
1	1	0
0	0	0

마지막으로 세 번째 열 기준으로 분모, 분자에 각각 합산한다. 회수에서 첫 번째, 두 번째 데이터는 제외되며 계산하면 (4 + 3 + 3 / 8 + 7 + 6)으로 이렇게 계산하면 최종적으로 0.47619 가 된다.

[그림 6.23]

A	B	C
1	1	1
1	1	0
0	0	0

✋ 이번에는 범주간(평가자간) 비교에서의 Kappa 통계량에 대해 살펴보자. 평가자 A 와 B 는 평가 결과가 동일하므로 Kappa 통계량 값이 1 인 반면, 평가자 A 와 C 는 3 번의 평가에서 2 번의 평가 결과가 일치하는 데 Kappa 통계량이 0.4 이다.

[그림 6.24]

Agreement Comparisons

Rater	Compared with Rater	Kappa	.2	.4	.6	.8	Standard Error
A	B	1.0000					0.0000
A	C	0.4000					0.3919
B	C	0.4000					0.3919

Kappa 통계량은 평가자간 평가 결과의 일치도를 계산하는 대표적인 지표로서 개념적으로 다음과 같은 공식으로 계산된다.

(평가자간 일치 확률 - 우연히 일치할 확률) / (1 - 우연히 일치할 확률)

그리고 결과는 0 에서 1 까지의 값을 가지는 데, 보통 다음과 같이 해석한다(0.6 이상이 높은 일치도로 권고된다)

1) 0.8 ~ 1 : 매우 높은 일치도

2) 0.6 ~ 0.8 : 높은 일치도

3) 0.4 ~ 0.6 : 보통

4) 0.2 ~ 0.4 : 낮은 일치도

5) 0 ~ 0.2 : 거의 일치하지 않는다.

평가자 A 와 C 의 Kappa 통계량 0.4 의 도출과정을 살펴보자. 두 평가자의 평가 결과를 표로 만들면 다음과 같다. 숫자의 의미는 해당되는 회수를 뜻한다. 예를 들어 평가자 A 의 평가결과가 0 이고, 평가자 C 의 평가 결과가 1 인 경우는 없으므로 '0'의 값을 가진다.

[그림 6.25]

		평가자 A		
	구분	0	1	합계
평가자 C	0	1	1	2
	1	0	1	1
	합계	1	2	3

1) 먼저 두 사람간 일치 확률은 2/3 이다.

2) 우연히 일치할 확률은 다음과 같이 계산한다.

 -A 가 0 이라고 판정한 확률 : 1/3

 -A 가 1 이라고 판정한 확률 : 2/3

 -C 가 0 이라고 판정한 확률 : 2/3

 -C 가 1 이라고 판정한 확률 : 1/3

 -둘 다 0 이라고 판정한 확률 : (1/3) * (2/3) = 2/9

 -둘 다 1 이라고 판정한 확률 : (2/3) * (1/3) = 2/9

 -우연히 일치할 확률 : 둘 다 0 이라고 판정한 확률 + 둘 다 1 이라고
　　　　　　　　　 판정한 확률 = 2/9 + 2/9 = 4/9

3) 그런 다음 Kappa 통계량을 계산하면 다음과 같다.

 (평가자간 일치 확률 - 우연히 일치할 확률) / (1 - 우연히 일치할 확률)

 (2/3 - 4/9) / (1 - 4/9) = 2/5 = 0.4

5. 파괴 검사의 경우 측정 시스템 분석

측정이 파괴 검사(Destructive Test)로 이루어지는 경우는 측정 대상이 대한 반복 측정이 불가능하다. 파괴 검사(Destructive Test)를 위해서는 동질성을 확보할 수 있는 합리적 부분군(Rational Subgroup)이 필요하며, 이 때 Subgroup 내의 측정 대상들을 하나의 측정 대상으로 간주하여 각 대상에

대한 측정값은 반복 측정한 값으로 간주한다. 보통 같은 Lot, 같은 Batch 내의 샘플을 동일하다고 취급한다.

예를 들어 4 명의 측정자, 4 개의 부품에 대해 3 회씩 반복 측정을 하고자 할 경우에는 랜덤하게 16 개(측정자 4 명 * 부품 4 개)의 Batch 를 선정하고 각 Batch 에서 동질성이 담보될 수 있도록 3 개씩의 샘플을 선택한다. 그리고 각 Batch 내에서 3 개 샘플에 대한 측정 결과는 하나의 샘플에 대해 3 회씩 반복 측정한 결과로 간주한다. 이를 그래프로 표현하면 다음과 같다. 짐작할 수 있듯이 관건은 Batch 내 3 개 샘플의 동질성 확보이다.

[그림 6.26]

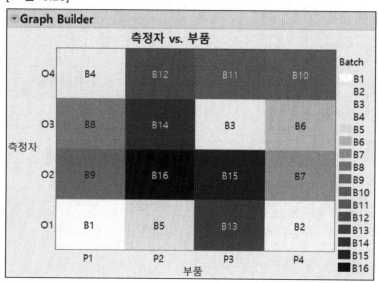

'DestructiveMSA.jmp' 데이터는 앞에서 설명한 대로 계획되어 수집된 데이터이다. 측정값인 강도의 Spec 은 55~75 이다[21].

---

[21] 해당 데이터에 대한 보다 자세한 설명은 JMP User Community 에서 'Using MSA for Situations Requiring Destructive Testing'로 검색하면 확인할 수 있다. 인장 강도 등에 대한 신뢰성 측면에서의 파괴 열화(destructive degradation)에 대해서는 JMP Books 또는 다음 링크를 참조하길 바란다(https://blog.naver.com/discoveringjmp/223291041514)

[그림 6.27]

	측정자	부품	강도 (ksi)	Batch
	O1	P1	76.3	B1
	O2	P2		B2
	O3	P3		B3
	O4	P4		B4
				B5
			56.2	11 ...
1	O1	P1	58.4	B1
2	O1	P1	56.2	B1
3	O1	P1	57.5	B1
4	O1	P2	59.8	B5
5	O1	P2	58.2	B5
6	O1	P2	58.6	B5
7	O1	P3	69.7	B13

Table Panel에 저장되어 있는 **AIAG Gauge R&R**을 열어 측정 시스템 분석 결과를 확인해 보자.

가장 많이 활용되는 지표인 **%Gauge R&R(% Study Variance, %Total)**은 50.1%이고 이 중 반복성(Repeatability)은 12%, 재현성 (Reproducibility)은 48.6%이므로 재현성에 대한 개선이 필요한 상황이다.

%Tolerance(% of Tolerance)를 보면 공차(Tolerance) 대비한 Gauge R&R 변동이 91.32% 수준으로 이 경우에는 사용이 불가능한 시스템이라고 판정된다.

[그림 6.28]

Measurement Source		Variation (6*StdDev)	% of Tolerance	% Total	
Repeatability	(EV)	4.412862	22.06	12.1	Equipment Variation
Reproducibility	(AV)	17.722722	88.61	48.6	Appraiser Variation
측정자		15.000576	75.00	41.2	
측정자*부품		9.438092	47.19	25.9	
Gauge R&R	(RR)	18.263850	91.32	50.1	Measurement Variation
Part Variation	(PV)	31.526666	157.63	86.5	Part Variation
Total Variation	(TV)	36.434858	182.17	100.0	Total Variation

Summary and Gauge R&R Statistics

$\quad$ 6 k

$\quad$ 50.1274 % Gauge R&R = 100*(RR/TV)

$\quad$ 0.57931 Precision to Part Variation = RR/PV

$\quad\quad\quad$ 2 Number of Distinct Categories = Floor(sqrt(2)*(PV/RR))

$\quad\quad$ 55 Lower Tolerance (LT)

$\quad\quad$ 75 Upper Tolerance (UT)

$\quad\quad$ 20 Tolerance = UT-LT

$\quad$ 0.91319 Precision/Tolerance Ratio = RR/(UT-LT)

3 부. 관리도(Control Chart)

7 장. 관리도의 기본 개념

이번 장에서는 통계적 공정 관리의 근간이라고 할 수 있는 관리도(Control Chart)의 기본 개념에 대해 살펴볼 것이다. 세부적으로 아래 네 가지에 대해 학습한다.
1) 우연 원인과 이상 원인
2) 합리적 부분군(Rational Subgrouping)
3) 군내 산포 추정을 위한 몇 가지 방법
4) JMP 의 관리도 기능

1. 우연 원인과 이상 원인

관리도란 프로세스의 성과를 나타내는 데이터를 일정 시간 간격으로 기록하여 선 형태로 표현하는 것으로, 시간의 경과에 따른 프로세스의 능력과 변동을 추적하기 위해 사용되는 통계적 기법이라 할 수 있다.

관리도를 활용하기 위해서는 1 부에서 설명한 우연 원인과 이상 원인이라는 개념을 이해할 필요가 있다. 우연 원인(Common Cause, White Noise 또는 공통 원인)이란 모든 프로세스에 항상 존재하며 공정 자체에서 여러 요소가 복합적으로 작용하여 발생하는 산포의 원인이고 이상 원인(Assignable Cause, Black Noise 또는 특수 원인)이란 해당 프로세스에 내재하지 않는 원인으로 예측할 수 없으나 단일한 혹은 일련의 방해 요소에 의해 발생하는 경우가 많아 기본적인 프로세스 관리 혹은 모니터링을 통해 제거, 감소될 수 있는 특징을 가지고 있다. 즉, 관리도 활용의 주 목적은 이상 원인의 파악과 이에 대한 적절한 조치하고 할 수 있다.

[그림 7.1]은 가장 많이 활용되는 관리도 중의 하나인 Xbar-R 관리도의 모습이다. 이를 통해 관리도의 기본적인 요소에 대해 살펴보자.

[그림 7.1]

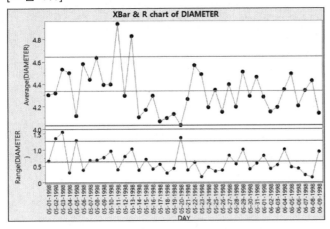

관리도는 시간의 경과에 따른 공정의 안정성(stability)을 확인하는 도구이므로 X 축은 기본적으로 시간 축이다.

연속형 데이터를 기준으로 할 때 일반적으로 관리도는 두 개의 그래프로 구성된다. 하나는 평균의 변화를, 다른 하나를 산포의 변화 정도를 표현한다. [그림 7.1]에서 위쪽은 시간(날짜)의 경과에 따른 평균치의 변화를 나타낸 그래프이고 아래쪽은 시간(날짜)의 경과에 따른 산포의 변화를 범위(Range. Max – Min) 값으로 표현한 것이다.

두 그래프 각각 중간에 있는 중심선(Center Line)은 해당 그래프 기준으로 평균값을 표현하며 두 그래프의 위 아래에 있는 선은 관리 상한선(UCL : Upper Control Limit)과 관리 하한선(LCL : Lower Control Limit)를 표시한다. 검은 색으로 타점된 값은 해당 그래프에서 표현하는 통계량(statistics)인 데, [그림 7.1]의 경우 위의 그래프에서 타점된 값은 각 부분군(Subgroup)의 평균값을 나타내며 아래 그래프에서 타점된 값은 각 부분군(Subgroup)에서의 범위(최대값 – 최소값)를 나타낸다. 관리선 바깥으로 점이 타점되는 경우가 이상 원인 발생의 대표적인 상황이라고 할 수 있다. 이런 경우를 관리

이탈(out of control)이라고 한다. 관리선은 보통 평균으로부터 (+/- 3*표준편차)에 해당하는 값을 나타낸다.

[그림 7.2]

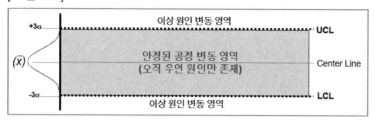

관리도는 데이터가 정규 분포함을 가정하는 데, 정규 분포는 (평균 +/- 3*표준편차)의 범위 내에 전체 데이터의 99.73%가 존재한다. 데이터가 +/- 3*표준편차 범위 밖으로 벗어났을 경우 보통 이상 원인의 발생으로 관리선을 이탈하였다고 말한다. +/- 3*표준편차 범위 밖으로 벗어날 확률은 0.27%로, 관리도는 유의 수준을 0.27%로 설정한 뒤 가설 검정을 하는 것과 동일한 개념이라고도 할 수 있다.

[그림 7.3]

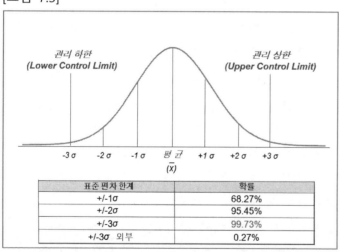

흔히 타점되는 데이터의 정규성(normality)과 독립성을 슈와르트 관리도의 전제 조건이라고 하는 데, 여기서 정규성은 실제 개별 데이터가 정규 분포를 따르지 않는다 하더라도 중심 극한 정리에 의해 Xbar 관리도에 타점되는

데이터는 일반적으로 정규 분포를 따르게 된다. 독립성은 시간에 대한 독립성을 말하는 데 독립성이 부족하여 자기 상관(Autocorrelation)이 존재하게 되면 관리 한계의 폭이 좁아져서 이상원인으로 인한 변동이 없음으로 이를 관리 이탈로 규정하는 False Alarm 문제가 발행하게 된다.

관리도에서는 (평균 +/- 3*표준편차) 범위를 벗어난 것 뿐만 아니라 데이터가 (평균 +/- 3*표준편차) 범위 내에 있다하더라도 관리 이탈로 규정하는 몇 가지 유형이 있는 데, 가장 많이 활용되는 **Western Electric Rule** 기준으로 보면 다음과 같은 8 가지의 관리 이탈 유형이 있다.

첫 번째는 가장 일반적인 상황으로 1 개의 점이라도 관리선 바깥을 벗어난 경우이다. 프로세스에서 평균 및 산포의 변화를 나타내는 가장 기본적인 유형이라고 할 수 있다.

[그림 7.4]

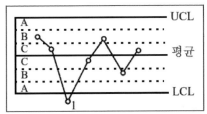

두 번째는 연속된 9 개의 점이 중심선으로부터 어느 한쪽에 있는 경우이다. 프로세스에서 평균의 변화를 탐지한다.

[그림 7.5]

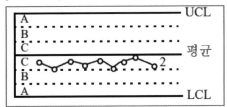

세 번째는 연속된 6 개의 점이 점진적으로 증가하거나 감소하는 경우를 말한다. 프로세스 평균의 흐름을 파악할 수 있다.

[그림 7.6]

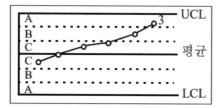

네 번째는 연속된 14 개의 점이 위아래로 교대로 나타나는 상황을 말한다. 교대(shift)의 개념이 있는 기계, 작업자가 있는 경우에 주로 발생한다.

[그림 7.7]

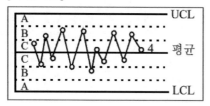

다섯 번째는 연속된 3 개의 점 중 2 개가 2 Sigma 를 벗어나는 경우이다.

[그림 7.8]

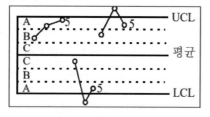

여섯 번째는 연속된 5 개의 점 중 4 개가 1 Sigma 범위를 벗어나는 경우이다.

[그림 7.9]

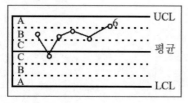

일곱 번째는 연속된 15 개의 점이 중심선을 기준으로 +/- 1 Sigma 사이에 있는 경우를 말한다.

[그림 7.10]

마지막으로 여덟 번째 경우는 연속된 8 개의 점이 중심선의 양쪽에 있고 1 Sigma 범위내에는 타점된 데이터가 없는 경우를 말한다.

[7.11]

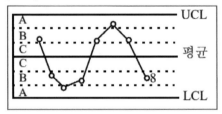

JMP 에서는 이러한 이상원인에 대한 규정을 사용자가 임의로 조정할 수 있도록 하고 있다.

[그림 7.12]

```
Customize and Select Tests
 n   Test description                                                           Label
  3  ☐ One point beyond n sigma                                                  1
  9  ☐ n points in a row on a single side of the center line                     2
  6  ☐ n points in a row steadily increasing or decreasing                       3
 14  ☐ n points in a row alternating up and down                                 4
  2  ☐ n out of n+1 points in a row beyond 2 sigma                               5
  4  ☐ n out of n+1 points in a row beyond 1 sigma                               6
 15  ☐ n points in a row between +/- 1 sigma around the center line              7
  8  ☐ n points in a row on both sides of the center line with none within a distance of 1 sigma  8
Note: Tests 2, 5, and 6 apply to the upper and lower halves of the chart separately.
 Restore Default Settings    Save Settings to Preferences
```

JMP 에서는 **Western Electric Rule** 외에도 이상 원인 발생을 탐지하는 또다른 방법으로 **Westgard Rule** 을 활용할 수 있다. Westgard Rule 은 표준 편차 기준이므로 Subgroup Size 가 다른 경우에 많이 사용된다.

Westgard Rule 은 이상 원인 발생 여부를 판단하는 기준으로 다음의 6 가지를 채택하고 있다.

1) Rule 1 2S(JMP 에서는 Test 9 라고 표현)

관리 한계와 평균 사이의 거리가 2*표준편차로 설정된 **Levey-Jennings 차트**에서 활용되는 데, 1 개의 점이라도 이 한계를 초과하면 이상원인 발생으로 간주한다.

[그림 7.13]

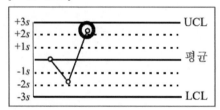

2) Rile 1 3S(JMP 에서는 Test 10 이라고 표현)

관리 한계와 평균 사이의 거리가 3 표준편차로 설정된 Levey-Jennings 차트에 주로 적용되며, 1 개의 점이라도 이 한계를 초과하면 관리 이탈로 규정한다.

[그림 7.14]

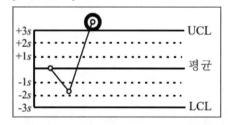

3) Rule 2 2S(JMP 에서는 Test 11 로 표현)

연속된 두 값이 평균으로부터 2*표준편차를 벗어날 때 관리 이탈로 간주한다.

[그림 7.15]

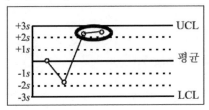

4) Rule R 4S(JMP 에서는 Test 12 로 표현)

특정한 측정값과 평균 사이의 거리가 2 표준편차보다 크고 이전 측정값과 평균 사이의 거리가 반대 방향으로 2 표준편차보다 큰 경우, 즉 차이가 4 표준편차보다 클 경우 이상 원인 발생으로 간주한다.

[그림 7.16]

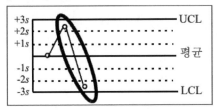

5) Rule 4 1S(JMP 에서는 Test 13 으로 표현)

연속된 4 개의 측정값이 평균으로부터 1*표준편차를 벗어날 경우를 이상 원인 발생으로 판단하는 기준이다.

[그림 7.17]

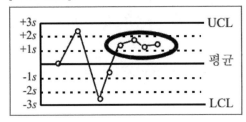

6) Rule 10X(JMP 에서는 Test 14 라고 함)

연속된 10 개의 점이 평균으로부터 한쪽 방향에 있을 때를 말한다.

[그림 7.18]

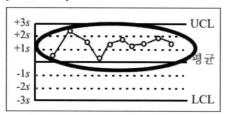

이상으로 Western Electric Rule 와 Westgard Rule 기준으로 관리 이탈 및 이상원인의 발생이라고 추정할 수 있는 관리도에서의 타점 형태를 살펴보았다. 좀 복잡하고 어려워 보이지만 일반화해서 생각하면 일정한 범위(관리선 이내)에서 데이터가 랜덤성을 보일 경우에는 안정적(stable)이고 관리 상태(in control)에 있다고 볼 수 있고, 반면에 일정한 범위(관리선 이내)를 벗어나거나 랜덤하지 않고 어떤 경향, 상승 또는 하강, 심한 등락의 상황을 보인다면 불안정(unstable)하고 관리 이탈 상태(out of control)에 있다고 말할 수 있다.

2. 합리적 부분군(Rational Subgrouping)

앞에서 관리도란 프로세스의 성과를 나타내는 데이터를 일정 시간 간격으로 기록하여 선 형태로 표현하는 것이며 일반적인 관리도는 시간 경과에 따른 평균과 산포의 변화를 표현하는 두 개의 그래프로 구성된다고 하였다.

관리도의 실제 활용을 위해서는 Rational Subgrouping(합리적 부분군)에 대해 좀 더 살펴볼 필요가 있다.
먼저 Subgroup(부분군)에 대해 알아보자.
Subgroup(부분군)의 개념은 공정 능력 분석 개념이 발달하기 이전부터 관리도(특히 Xbar-R 로 대변되는 슈와르트 관리도)에서

1) 전체 변동(산포)을 군내 산포(Variation within Subgroup, 군내 변동)와 군간 산포(Variation between Subgroup, 군간 변동)로 구분하고

2) 군내 산포가 군간 산포에 비해 훨씬 크고, 전체 산포를 대표할 수 있다라는 전제하에 출발하였다.

3) 이러한 전제 조건을 바탕으로 관리도는 공정의 안정(관리상태, In Control) 여부(Stability)를 판정하는 목적으로 이용할 수 있다.

4) 이러한 관리도의 이용 목적을 충족하기 위한 요건 중 하나가 합리적 부분군[22]이다. 합리적 부분군은 군내 산포를 근거로 설정된 관리한계로 군간 산포에 의한 공정의 변화를 감지하는 것을 도와준다.

5) 관리도가 적용되고 있는 공정에 대해 군내 산포에 근거한 공정 능력 지수가 Cp, Cpk 이며 이는 군내 산포의 크기에 영향을 받고 군내 산포의 크기는 군내의 데이터 개수, 부분군 크기(Subgroup Size)에 따라 달라진다. Subgroup 개념으로 보면 총 데이터의 개수 = Subgroup Number(Subgroup 의 개수)*Subgroup Size(Subgroup 내의 데이터 개수)이다.

다시 정리해보면 부분군(Subgroup) 내에는 우연 원인만 존재하고, 부분군 간에는 이상 원인에 의한 영향이 최대가 되도록 부분군을 구성하는 것이 합리적 부분군이다.

합리적 부분군은 공정 불안정성과도 관련이 깊은 데, 공정이 불안정하다면 부분군 내의 데이터 개수를 줄일 필요가 있다. 반면에 공정이 안정적이라면 부분군 내의 데이터 개수를 보다 크게 할 필요가 있다.

---

[22] 실무적으로는 합리적 샘플링(Rational Sampling)이라고도 한다.

3. 군내 산포 추정을 위한 몇 가지 방법

관리도에서 관리선을 표현하기 위해서는 산포에 대한 추정이 필요한 데, 상황에 따라 몇 가지 다른 방법이 사용될 수 있으므로 이에 따라 살펴보자[23]. 가장 많이 적용되는 상황중의 하나인 부분군의 크기가 2 이상인 연속형 변수일 경우를 전제한 Xbar-R 관리도를 기준으로 하면 JMP 에서 관리선을 구하기 위한 군내 산포(within sigma) 추정 방법에는 다음과 같은 다섯 가지 방식이 있다.

[그림 7.19]

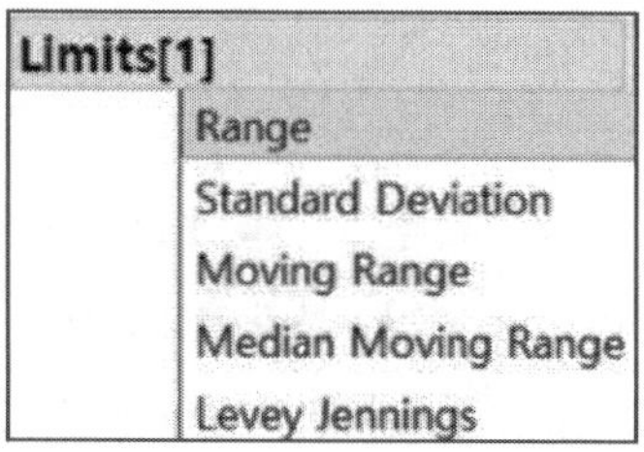

Limits[1]
Range
Standard Deviation
Moving Range
Median Moving Range
Levey Jennings

◆ **Range(범위)**

-범위 평균(average of ranges)를 사용하여 군내 산포를 추정한다. 부분군 크기(subgroup size)가 작을 때(보통 10 개 이하)에 적합하다. Xbar-R 관리도에서 주로 사용된다.

-계산 공식은 다음과 같다.

 (Ri 는 i 번째 부분군의 범위, ni 는 i 번째 부분군의 크기, d2 는 이 경우 활용되는 관리상수, N 은 부분군 수(단, N 은 2 이상))

$$\hat{\sigma} = \frac{\frac{R_1}{d_2(n_1)} + \cdots + \frac{R_N}{d_2(n_N)}}{N}$$

---

[23] 슈와르트 관리도의 관리선을 계산하기 위해서는 관리 상수라는 보정 상수가 필요한 데, 이에 대한 설명은 생략한다.

◆ Standard Deviation(표준편차)

-정확히 표현하면 불편(또는 비편향) 표준 편차의 평균(average of unbiased standard deviation)으로 Xbar-S 관리도에서 사용된다. 부분군의 크기가 클 때 주로 사용되지만, 부분군의 크기가 다른 경우에도 많이 활용된다.

-계산 공식은 다음과 같다.

(ni 는 i 번째 부분군의 크기, c4 는 이 경우 활용되는 관리상수, N 은 부분군 수(단, N 은 2 이상))

$$\hat{\sigma} = \frac{\dfrac{s_1}{c_4(n_1)} + \dots + \dfrac{s_N}{c_4(n_N)}}{N}$$

◆ Moving Range(이동 범위)

-평균 이동 범위(average of moving range)로 추정되며 I-MR(Individual Moving Range) 관리도에 적용된다. JMP 는 부분군을 특별히 지정하지 않으면 부분군 크기가 2 인 평균 이동 범위로 군내 산포를 추정한다.

-계산 공식은 다음과 같다.

($\overline{MR}$ 는 (MR$_2$ + MR$_3$ + MR$_N$) / (N-1)로 계산된 비결측 이동 범위의 평균이며, d2 는 이 경우 활용되는 관리 상수)

$$\hat{\sigma} = \frac{\overline{MR}}{d_2(2)}$$

◆ Median Moving Range(중앙값 이동 범위)

-중앙값 이동 범위(median of moving range)로 추정되는 군내 표준편차이다.

-계산 공식은 다음과 같다.

(MMR = Median(MR$_2$, MR$_{3,\dots}$, MR$_N$)으로 계산된 비결측 이동 범위의 중앙값)

$$\hat{\sigma} = \frac{MMR}{0.954}$$

◆ Levey Jennings

-Levey Jennings 차트에서는 데이터 전체의 변동(총 변동)을 군내, 군간으로 구분하지 않고 전체 표준 편차(overall sigma, long-term sigma)를 사용한다,

-계산 공식은 다음과 같이 일반적으로 활용되는 표준 편차 계산 공식과 같고, 이는 **Analyze / Distribution** 에서 구한 표준편차 값과 동일하다.

$$s = \sqrt{\sum_{i=1}^{N} \frac{(y_i - \bar{y})^2}{N-1}}$$

참고로, 공정 능력 분석에서 많이 활용되는 군내 표준 편차 추정 방법 중의 하나인 불편(비편향) 합동 표준 편차(unbiased pooled standard deviation)는 JMP 관리도에서는 적용하지 않고 있다[24].

불편 합동 표준 편차의 계산 공식은 아래와 같다.

(ni 는 i 번째 부분군의 크기, c4 는 이 경우에 적용되는 관리 상수, N 은 부분군 수(단, N 은 2 이상), si 는 I 번째 부분군의 표본 표준편차)

$$\hat{\sigma} = \frac{\sqrt{(n_1 - 1)s_1^2 + \ldots + (n_N - 1)s_N^2}}{c_4(n - N + 1)\sqrt{n_1 + \ldots + n_N - N}}$$

---

[24] 이에 대한 논거는 JMP Blog 에 소개된 내용을 참고하길 바란다.
(https://blog.naver.com/discoveringjmp/222389507364)

4. JMP 의 관리도 기능

JMP 에서 관리도에 대한 기능은 SPC 관련 기능이 모두 포함되어 있는 **Analyze / Quality and Process** 아래에 JMP17 버전 기준으로 크게 네 가지 하위 기능으로 분류되어 있다.
-Control Chart Builder
-Control Chart
-Model Driven Multivariate Control Chart
-Legacy Control Chart

JMP 사용자들이 흔히 CCB 라고 부르는 **Control Chart Builder** 는 **Graph Builder** 기능처럼 하나의 플랫폼에서 대부분의 관리도를 쉽게 그릴 수 있는 기능이며, 두 번째 **Control Chart** 는 각각의 관리도를 개별적인 메뉴에서 분석할 수 있는 기능이고 이 기능에서 그릴 수 있는 대부분의 관리도는 Cusum Control Chart 등 일부를 제외하고는 Control Chart Builder 기능과 연동되어 있다.
반면 **Model Driven Multivariate Control Chart(모형 기반 다변량 관리도)**는 주성분 분석을 통해 연관된 복수의 변수를 함께 모니터링하는 관리도이며 Legacy Control Chart 는 Control Chart Builder 와 연동되지 않고 각각의 관리도를 별도로 그렸던 예전 버전의 관리도 기능이다.

JMP 에서 포괄하는 관리도 종류를 관리도 메뉴와 연결하여 설명하면 다음과 같다. 이 책에서는 JMP 사용자들이 가장 많이 사용하는 Control Chart Builder 기능을 이용하여 계량형 관리도와 계수형 관리도에 대해 살펴보고, 최근 들어와 그 활용성이 점차 증대되고 있는 EWMA(Exponentially weighted moving average, 지수 가중 이동 평균) 등의 시간 가중 관리도와 Model Driven Multivariate Control Chart(모형 기반 다변량 관리도)를 중심으로 살펴보기로 한다.

[그림 7.20]

Menu	Sub-Menu	설명	CCB-based
CCB(Control Chart Builder)			
Control Chart	IMR Control Chart	연속형 관리도	O
	XBar Control Chart	연속형 관리도	O
	Run Chart	연속형 관리도	O
	P Control Chart	범주형 관리도	O
	NP Control Chart	범주형 관리도	O
	C Control Chart	범주형 관리도	O
	U Control Chart	범주형 관리도	O
	Laney P' Control Chart	범주형 관리도	O
	Laney U' Control Chart	범주형 관리도	O
	Levey Jennings Control Chart	연속형 관리도, Long-term sigma 사용	O
	IMR on Means Control Chart	연속형 관리도	O
	Three way Control Chart	연속형 관리도(Xbar + R + Moving Range)	O
	CUSUM Control Chart	Modern version(no V-Mask)	X
	EWMA(지수 가중 이동 평균)		X
	Multivariate Control Chart		X
Model Driven Multivariate Control Chart			
Legacy Control Chart	IR	연속형 관리도	X
	Xbar	연속형 관리도	X
	Runs Chart	연속형 관리도	X
	P	범주형 관리도	X
	NP	범주형 관리도	X
	C	범주형 관리도	X
	U	범주형 관리도	X
	Levey Jennings	연속형 관리도, Long-term sigma 사용	X
	Presummarize	반복 측정값이 있을 경우	X
	CUSUM	Original version(V-mask)	X
	UWMA		X
	EWMA		X

8 장부터 11 장까지는 다음의 순서로 목차가 구성되었다.

1) 8 장. 계량형 관리도

2) 9 장. 계수형 관리도

3) 10 장. 시간 가중 관리도

4) 11 장. 다변량 관리도

관리도의 종류(또는 명칭)와 관련해서 잠깐 살펴보면 8 장 및 9 장에서 살펴볼 내용은 슈와르트 관리도의 두 가지 종류로 계량형(variable) 및 계수형

(attribute)으로 통칭된다[25]. 계량형(variable) 관리도는 측정치가 연속형의 숫자 데이터로 표현되는 경우를 말하고 이와 달리 계수형(attribute)은 불량 여부 또는 단위당 결점수 등으로 표현되는 경우를 말한다. **Control Chart Builder** 에서는 각각 **Shewhart Variables**, **Shewhart Attributes** 로 표현되어 있다.

---

[25] 관리도에서 계량형과 계수형은 종종 연속형, 범주형(이산형)으로 부르는 경우도 있으나 이 책에서는 통용되는 계량형 관리도, 계수형 관리도라는 명칭을 사용한다.

8 장. 계량형 관리도

본 장에서는 JMP 관리도 기능의 핵심이라고 할 수 있는 Control Chart Builder 기능에 대해 알아보고 Control Chart Builder에서 구현 가능한 네 가지 종류의 계량형 관리도에 대해 살펴보기로 한다.

1) Control Chart Builder 소개
2) I-MR 관리도
3) Xbar-R 관리도
4) Levey Jennings(레비 제닝) 관리도
5) Short Run 관리도

1. Control Chart Builder 소개

[그림 8.1]은 가장 대표적인 관리도라 할 수 있는 Xbar-R 관리도의 전형적인 모습이다. 관리도는 시간의 순서를 나타내는 X 축, 이 시간의 간격에 따라 타점되는 데이터(통계량), 그리고 이 데이터를 가지고 계산된 **중심선(Center Line), 관리 상한선(UCL : Upper Control Limit)과 관리 하한선(LCL : Lower Control Limit)**로 구성된다.

[그림 8.1]

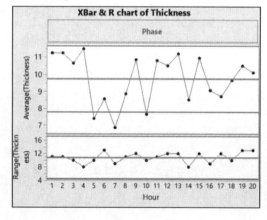

이 중에서도 타점되는 데이터의 통계량이 무엇인지, 관리 상한선과 관리 하한선이 어떤 기준으로 계산되는 지에 따라 관리도의 세부 종류가 달라지고 표현되는 정보의 종류와 내용도 달라진다.

JMP 의 관리도 기능 중 Control Chart Builder 기능은 Graph Builder 처럼 변수에 대한 Drag & Drop 만으로도 쉽게 관리도를 그릴 수 있을 뿐만 아니라, 타점되는 통계량 및 관리선의 계산 방식 등을 쉽게 변경하여 하나의 Platform 에서 다양한 관리도를 쉽게 표현할 수 있어서 많은 JMP 사용자들은 Control Chart Builder 기능을 이용하여 관리도를 표현한다.

[그림 8.2]는 Control Chart Builder 의 초기 화면이다. Phase(단계)와 군간 변동 구분의 기준이 되는 Subgroup 변수를 Drop 할 수 있고, Y 에 Drop 되는 변수의 Modeling Type 에 따라 표현할 수 있는 관리도의 종류가 결정된다. 관리도의 종류가 결정되면 그에 따라 옵션 기능이 결정된다.

[그림 8.2]

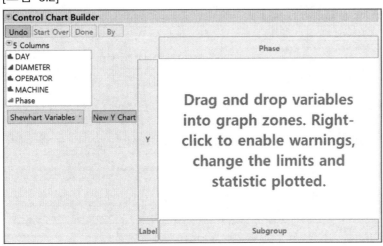

Control Chart Builder 의 경우 타점되는 점의 **통계량(Points/Statistics)**과 **관리선(Limit/Sigma)**의 산출 방식에 따라 표현 가능한 관리도 종류는 다음과 같다.

[그림 8.3]

상황	Chart Type (관리도 종류)	관리도 빌더 옵션	
		Points / Statistic	Limit / Sigma(관리선)
Variables Charts (계량형 관리도) -그룹핑 변수 (Subgroup) 없거나 -요약되지 않은 Data	**Individual**	Individual	Moving Range
	Moving Range on Individual	Moving Range	Moving Range
	Individual (limit computed on median moving range)	Individual	Median Moving Range
	Median moving range on Individual	Moving Range	Median Moving Range
	Run Chart	Individual	Moving Range
	Levey Jennings	Individual	Levey Jennings
Variables Charts -그룹핑 변수 (Subgroup) 있거나 -요약된 Data	**Xbar(limits computed on range)**	Average	Range
	Xbar(limits computed on StDev)	Average	Standard Deviation
	R	Range	Range
	S	Standard Deviation	Standard Deviation
	Levey Jennings	Average	Levey Jennings or overall Standard Deviation
Presummarize Charts (사전 집계)	**Individual on Group Means**	Average	Moving Range
	Individual on Group Means (limits computed on Median Moving Range)	Average	Median Moving Range
	Individual on Group StDevs	Standard Deviation	Moving Range
	Individual on Group StDevs (limits computed on Median Moving Range)	Standard Deviation	Median Moving Range
	Moving Range on Group Means	Moving Range on Means	Moving Range
	Median Moving Range on Group Means	Moving Range on Mean	Median Moving Range
	Moving Range on Group StDevs	Moving Range on StDev	Moving Range
	Median Moving Range on Group StDevs	Moving Range on StDev	Median Moving Range
Attribute Charts (계수형 관리도)	**P Chart**	Proportion	Binomial
	NP Chart	Count	Binomial
	C Chart	Count	Poisson
	U Chart	Proportion	Poisson
	Laney P' Chart	Proportion	Binomial adjusted by a moving range sigma value
	Laney U' Chart	Proportion	Poisson adjusted by a moving range sigma value
Rare Event Charts (희귀 사건 관리도)	**G Chart**	Count	Negative Binomial
	T Chart	Count	Weibull

계량형 관리도의 가장 간단한 형태인 I-MR 관리도부터 살펴보자.

2. I-MR 관리도

I-MR(Individual-Moving Range) 관리도는 측정 데이터가 부분군(Subgroup)의 개념이 없거나 부분군 개념을 적용하기 어려울 경우 사용한다. 부분군 내의 데이터의 개수가 한 개일 때 주로 활용되며 개별 데이터(Individual)과 두 개 이상의 데이터의 이동 범위(Moving Range)를 나타내는 관리도로 구성된다.

Sample Data 'Diameter.jmp'를 가지고 I-MR 관리도에 대해 학습해 보자.

 Diameter 변수를 **Y** 축 또는 **Drop Zone** 에 Drop 하면 **I-MR** 관리도가 그려진다. 위 아래에 Individual 및 MR 관리도가 그려지고 중심선(Center Line) 및 관리 상한선과 관리 하한선이 표시된다. [그림 8.4]는 **▼Control Chart Builder / Show limit labels** 를 선택하여 관리선의 값을 관리도에 표현한 후의 결과이다.

[그림 8.4]

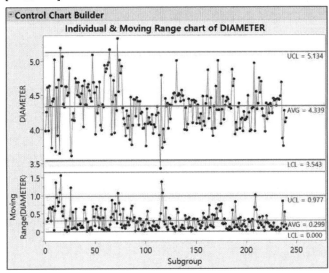

 변수를 선택할 수 있는 아래쪽 Control Panel 부분의 내용은 다음과 같다.

   1) **Shewhart Variables**(계량형 관리도), **Shewhart Attributes**(계수형 관리도) 및 **Rare Event**(희귀 사건 관리도) 중에서 관리도 종류를 선택할 수 있다.

2) **New Y Chart** 는 관리도를 표현하고 싶은 변수가 두 개 이상일 경우 변수를 추가하는 버튼이다.

3) **Point** : 관리도에 타점되는 점의 통계량(여기서는 Individual, Moving Range 중에서 선택 가능) 등을 선택할 수 있다.

4) **Limit** : 표현되는 관리선에 대한 통계량이다. 첫 번째 관리도의 관리선인 Limit[1]의 경우 **Moving Range, Median Moving Range, Levey Jennings** 등을 선택할 수 있다

5) **Warnings** : 7 장에서 설명한 관리 이탈 유형에 대한 옵션 설정 기능이다.

[그림 8.5]

☞ [그림 8.5]의 옵션은 관리도 위에서 우측 마우스를 클릭하는 방법으로도 변경할 수 있다. [그림 8.6]은 이 중 일부인 데 그 중에서도 앞에서 설명한 **Points, Limits** 및 **Warnings** 를 많이 활용한다.

[그림 8.6]

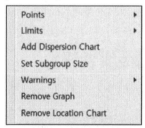

☞ **Limits** 아래에는 여러가지 하위 기능이 있는 데
　-**Sigma** 를 클릭하여 관리선을 산출하는 통계량을 선택할 수 있고,

-Zones 를 클릭하면 중심선으로부터 각 관리선까지의 영역을 표준편차 (시그마) 기준으로 3 등분하여 보여준다[26].

[그림 8.7]

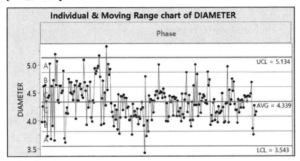

-Add Spec Limits 는 관리도에 Spec Line 을 추가하는 옵션이고 **Set Control Limit** 는 관리 상하한선을 임의의 값으로 변경하는 옵션이다. 또한 **Add Limits** 은 현재의 관리선 외 임의의 관리선을 추가하는 옵션이다.

🖰 만약 **Limits / Add spec limits** 를 클릭하여 Spec 값을 입력하면(여기서는 LSL 3, USL 5.5 입력) 관리도에 아래와 같이 Spec Line 이 함께 표시되고,

[그림 8.8]

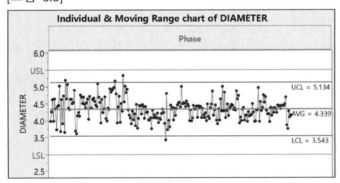

---

[26] 관리도에서 관리선을 벗어나서 타점이 될 경우에는 이상원인이 발생한 것으로 보아 어떤 조치가 취해져야 하는 데, 이런 측면에서 3 시그마 관리 한계선을 조치 또는 행동 한계(action limit)라고 하고 3 시그마 관리 한계를 벗어나기 사전에 벗어날 가능성을 염두에 두고 모니터링하는 관리 한계를 설정(보통 2 시그마를 많이 활용)하는 경우도 있는 데 이런 경우의 관리 한계를 경고 한계(warning limit)라 부르기도 한다.

⊸ 환경 설정에서 옵션을 변경하지 않았다면 **Control Chart Builder** 기능에서 Spec이 입력되면 관리도 오른쪽에 공정 능력 분석 결과가 함께 출력된다. [그림 8.9]

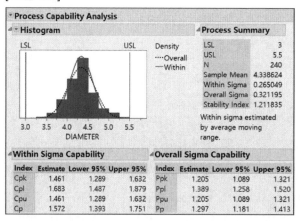

⊸ Warnings를 클릭하면 슈와르트 관리도 기준의 관리 이탈 정보를 관리도에 표시되게 할 수 있다. **Warnings / Customize Tests**를 클릭하여 그 기준을 변경할 수도 있다.

[그림 8.10]

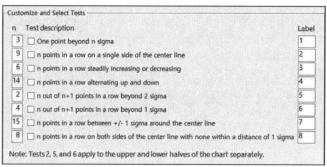

⊸ **Warning / Tests**에서 슈와르트 관리도의 8가지 관리 이탈 기준 중에서 관리도에 표시할 기준을 선택하면 그 결과가 관리도에 표시된다. 아래는 위쪽의 Individual 관리도에서 1번 기준을 선택하고 아래쪽의 MR 관리도에서 **Test Beyond Limits(관리선을 벗어난 경우 검정)**를 선택한 후의 결과이다.

[그림 8.11]

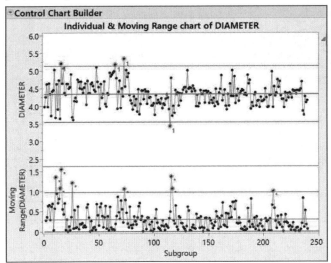

⌘ [그림 8.11]의 상태에서 ▼Control Chart Builder / Show alarm report 를
클릭하면 설정된 관리 이탈 기준과 이탈율(Alarm rate)을 확인할 수 있다.

[그림 8.12]

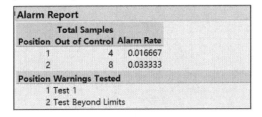

⌘ Control Chart Builder 오른쪽에 보면 Limit Summary 가 있는 데 여기서
관리선은 평균 이동 범위(average of moving range)을 이용하여 계산된
Within Sigma 를 가지고 계산하였고 ▼Control Chart Builder / Show
sigma report 를 통해 확인할 수 있다.

[그림 8.13]

DIAMETER Limit Summaries					
Points plotted	LCL	Avg	UCL	Limits Sigma	Subgroup Size
Individual	3.54	4.34	5.13	Moving Range	1
Moving Range	0.00	0.30	0.98	Moving Range	1

Process Sigma Report	
Summary	Value
N	240
N Subgroups	240
Sample Mean	4.338624
Within Sigma	0.265049
Overall Sigma	0.321195
Stability Index	1.211835

⚓ 관리선의 값(관리 한계)을 저장할 수 있는 데, 예를 들어 ▼**Control Chart Builder / Save Limits / in Column** 을 클릭하면 **Column Property** 에 **Control Limit(관리 한계)** 값으로 저장된다.

[그림 8.14]

Column Properties ▾		
Control Limits	Control Limits	
	Individual Measurement	
	Avg	4.3386244
	LCL	3.5434776
	UCL	5.1337712
	Subgroup Size	1

⚓ 관리도로 표현하고자 하는 데이터의 기간 동안에 장비의 변경이나 개선 조치의 시행 등의 조치가 있을 경우 이를 구분하는 Column 을 **Phase Zone** 에 Drop 하면 [그림 8.15]와 같이 구분하여 살펴볼 수 있다.

[그림 8.15]

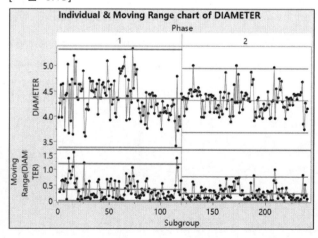

이번에는 I-MR 관리도 활용과 관련된 몇 가지 추가적인 사항에 대해 살펴보고자 한다. 살펴볼 사항은 다음 세 가지이다.

1) 관리이탈에 대한 세부적인 확인

2) Run Chart 와의 비교

3) 기존의 관리한계선을 기준으로 모니터링하는 경우

먼저 **Western Electric Rule** 기준으로 관리이탈 상황이 관리도에서 어떻게 표현되는 지 좀 더 세부적으로 살펴보자.

[그림 8.16]은 [그림 8.7]에서 **Warning / Tests** 에서 **Western Electric Rule** 의 8 가지 Test 기준을 모두 선택하였을 경우 표시되는 **Individual Chart** 의 일부분이다. 몇 가지 살펴보면,

-Run 49 번부터는 51 번까지는 중심으로부터 관리선의 한쪽 방향으로 9 개의 점이 타점된 경우로 Test 2 번 기준의 관리이탈 상황이다.

-Run 62 번부터 64 번까지는 Test 5 번의 관리이탈 상황인 데, 연속된 3 개의 점 중 2 개가 2 Sigma 를 벗어난 경우이다.

-Run 65 번, 73 번은 관리선을 이탈한 Test 1 번에 해당하는 상황이다.

-Run 66 번은 연속된 5 개의 타점 중 4 개가 1 Sigma 를 벗어난 Test 6 번의 관리이탈 상황이다.

-Run 67 은 연속된 8 개의 점이 중심선의 양쪽에 있지만, 1 Sigma 범위내에는 타점이 되지 않은 Test 8 번 기준의 관리 이탈 상황이다.

[그림 8.16]

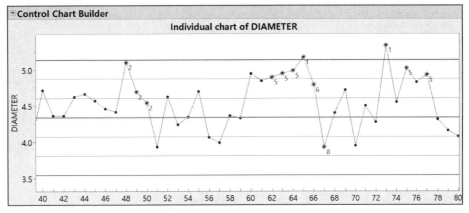

두 번째는 **Individual Chart** 와 **Run Chart** 를 비교해 보자.
JMP 에서 **Run Chart** 는 다음의 두 메뉴에서 살펴볼 수 있다.
-**Analyze / Quality and Process / Control Chart / Run Chart**
-**Graph / Graph Builder** 에서 **Line Graph**

Analyze / Quality and Process / Control Chart / Run Chart 기능을 활용하여
Run Chart 를 그려보면 Control Chart Builder 를 활용한 결과와 동일함을 알 수
있다. Control Chart Builder 의 옵션을 활용하고자 한다면 **Control Chart
Builder / Show Control Panel** 을 선택하면 된다.
[그림 8.17]

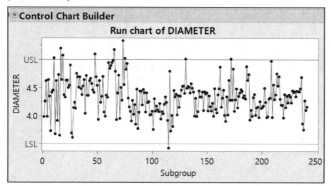

만약 **Graph Builder** 를 활용한다면 그래프 종류로 **Line Graph** 를 선택하고
옵션에서 **Row Order** 를 선택하면 된다.
[그림 8.18]

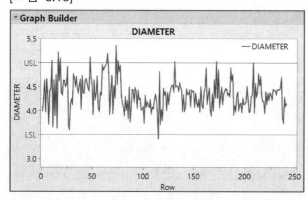

126

이번에는 **기존(과거) 관리 한계(Historical Control Limit)**를 기준으로 공정 안정성의 변화를 모니터링하는 경우에 대해 살펴보자. 종이와 종이 책의 결합을 끊는 데 필요한 힘의 변동을 줄이고자 하는 어느 인쇄 회사는 세 곳에 공장이 있고(Site 1, 2, 3), 각 공장의 과거 데이터를 기준으로 설정된 관리선을 가지고 새로운 개선 조치 후 공정 안정성을 모니터링하고자 한다. 이를 위해서는 다음의 몇 단계가 필요하다.

1) 기존 데이터를 가지고 관리 한계 생성

2) 개선 조치 실행

3) 개선 조치 후 데이터 수집

4) 새로운 데이터에 대해 기존 관리 한계를 적용하여 비교

'Phase Historical Data.jmp'에는 세 공장의 기존 데이터가 포함되어 있다.

☝ Control Chart Builder 에 들어가서 Force 를 **Y** 로, Run 을 **Subgroup** 으로, Site 를 **Phase** 로 드래그한다. Site 별로 관리선이 각각 다르게 표시된다.

[그림 8.19]

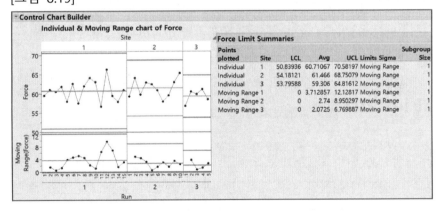

☝ **▼Control Chart Builder / Save Limits / in New Table** 을 클릭하면 관리 한계선 정보를 담은 **Limit Table** 이 생성된다. 필요한 위치에 저장한다.

☝ 'Phase New Data.jmp'는 개선 조치 실행 후 세 공장에서 새롭게 수집한 데이터이다. Control Chart Builder 에 들어가서 Force 를 **Y** 로, Run 을

Subgroup 으로, Site 를 **Phase** 로 드래그하고 ▼**Control Chart Builder / Get Limits** 를 클릭하여 앞에서 저장한 **Limit Table** 을 불러온다. 이렇게 하면 새로운 데이터에 대해 기존 관리 한계를 적용하여 비교하게 된다. [그림 8.20]

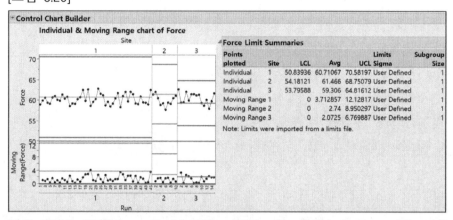

개선 전인 [그림 8.19]와 비교해 보았을 때 개별(Individual) 및 이동 범위(Moving Range) 관리도 모두에서 관리 한계를 벗어나는 점이 없음이 확인된다. 힘의 변동을 줄이는 게 목표였는 데 이동 범위(Moving Range) 관리도를 보면 대부분이 점들이 평균 아래에 있음을 확인할 수 있다.

3. Xbar-R 관리도

이상 원인으로 인한 군간 변동과 우연 원인으로 인한 군내 변동을 구분하여 표시하는 것이 전통적인 슈와르트 관리도의 핵심 개념인 데, 이런 측면에서 군내의 평균값의 변화와 군간의 변동을 범위(최대-최소) 값으로 표현한 Xbar-R 관리도가 가장 많이 활용되는 관리도이다.

Xbar-R 관리도에 대한 JMP 활용법에 대해 살펴보기 전에 관리도에 대한 통계적인 개념을 이해하기 위하여 평균의 변동을 표현하는 Xbar 관리도의 관리 한계에 대해 좀 더 살펴보자.

만약 어느 프로세스의 평균이 10, 표준편차가 1, Subgroup Size 가 5 라고 할 경우 샘플의 표준편차는 아래와 같다.

$$\frac{\sigma}{\sqrt{n}} = \frac{1}{\sqrt{5}} = 0.4472$$

여기서 3 Sigma 관리 한계를 설정하면 관리상한과 관리하한은 다음과 같이 계산된다.

관리 상한(UCL) : 10 + (3*0.4472) = 11.34164

관리 하한(LCL) : 10 - (3*0.4472) = 8.65386

샘플의 표준 편차 공식에서 짐작할 수 있듯이 관리 한계의 크기는 Subgroup Size 에 반비례하고 모집단의 표준편차의 크기에 비례한다.

 I-MR 관리도에서 살펴본 'Diameter.jmp' 데이터에서 Diameter 변수를 **Y** 축에 Drop 하고 군간의 변동을 파악하기 위한 변수인 Day(이 데이터는 하루에 6 개씩을 측정한 결과이다)를 **X** 축에 Drop 한다. 그런 다음 관리선을 벗어난 타점을 별도로 표시하기 위하여 왼쪽 하단 **Warning[1]** 및 **Warnings[2]**에서 각각 **Test Beyond** 를 선택한다. 그런 다음 ▼**Control Chart Builder / Show alarm report** 를 클릭한 결과는 [그림 8.21]과 같다. Xbar 관리도에서 관리선을 벗어난 타점이 3개, Range 관리도에서 관리선을 벗어난 타점이 네 개 확인된다.

[그림 8.21]

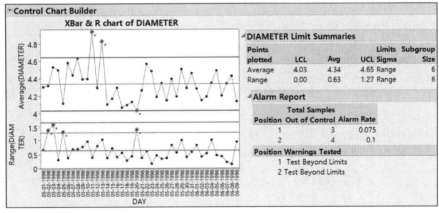

⍋ 만약, 측정자별 또는 머신별로 구분하여 보고자 하면 그 변수를 상단 **Phase** 에 드롭하면 된다. [그림 8.22]는 측정자별로 구분하여 살펴본 결과이다.

[그림 8.22]

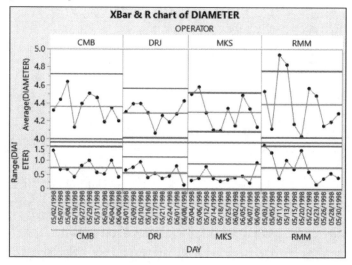

▼**Control Chart Builder** 의 하위 기능 중 몇 가지에 대해 살펴보자.

⍋ Subgroup Size 를 표현하는 별도의 Column 이 없을 경우에는 ▼**Control Chart Builder / set subgroup size** 에서 지정하면 된다.

[그림 8.23]

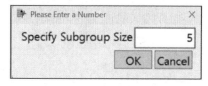

⍋ ▼**Control Chart Builder / Save Summaries** 를 클릭하여 관리도와 관련된 주요한 통계량을 별도의 데이터 테이블에 저장할 수 있다. 각 Subgroup 별로 데이터 개수, 평균, 관리도 종류, 중심선, 관리 상하한선 및 관리 이탈 여부 등의 정보를 담고 있다.

[그림 8.24]

Sample	Sample Label	n	Mean of DIAMETER	Chart Type	Average DIAMETER	LCL DIAMETER	UCL DIAMETER	Row State	Test Failures
7	05-07-1998	6	4.44	XBar	4.34	4.03	4.65	•	
8	05-08-1998	6	4.63	XBar	4.34	4.03	4.65	•	
9	05-09-1998	6	4.39	XBar	4.34	4.03	4.65	•	
10	05-10-1998	6	4.40	XBar	4.34	4.03	4.65	•	
11	05-11-1998	6	4.94	XBar	4.34	4.03	4.65	•	*
12	05-12-1998	6	4.29	XBar	4.34	4.03	4.65	•	
13	05-13-1998	6	4.83	XBar	4.34	4.03	4.65	•	*
14	05-14-1998	6	4.10	XBar	4.34	4.03	4.65	•	
15	05-15-1998	6	4.17	XBar	4.34	4.03	4.65	•	

☞ 층별 변수별(여기서는 측정자 또는 머신)로 구분하여 관리도를 보고자
한다면 ▼Local Data Filter 기능을 활용하면 된다. 예를 들어 측정자 네
사람에 대해 각각 살펴보고자 한다면 ▼Control Chart Builder / Local data
filter 를 클릭하여 OPERATOR 를 필터 변수로 선택하고 ▼Control Chart
Builder / Show excluded region 을 선택 해제하면 된다[27].

[그림 8.25]

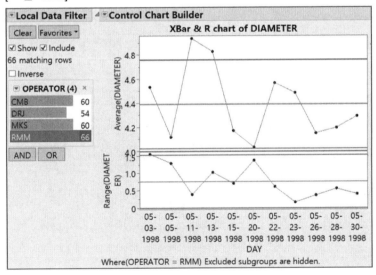

---

[27] Show excluded region(제외된 영역 표시)를 선택해지하지 않으면 전체 데이터에서 Local data
filter 로 지정되지 않는 데이터가 숨기기 형태로 표시된다.

Xbar-R 관리도에서 범위 평균값만이 아니라 개별 값 및 Subgroup 별로 Boxplot을 추가할 수도 있다. [그림 8.26]은 [그림 8.25]에서 Xbar-R 관리도 상에서 우측 마우스 클릭, **Points** 에서 **Individual Plots** 과 **Boxplots** 를 추가한 결과이다.

[그림 8.26]

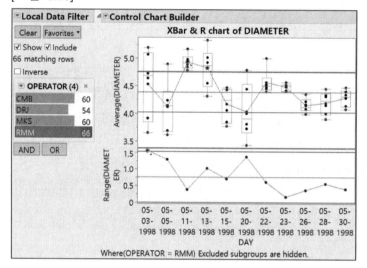

만약, Subgroup size 가 충분히 크다면 Xbar-R 관리도가 아니라 Xbar S 관리도로 표현하는 게 보다 적절할 것이다[28].

Control Chart Builder 에서 Xbar S 관리도를 표현하기 위해서는 Xbar 관리도에서 R 관리도를 S 관리도로 변경해 주어야 한다[29]. 산포를 표현하는 R 및 S 관리도만을 비교해 보면 R 관리도에서 LCL 과 UCL 은 0 ~ 1.27 인데([그림 8.21]) S 관리도에서는 0.01 ~ 0.48 로 감소하였다.

---

[28] 보통 Subgroup Size 가 10 이상일 경우 또는 Subgroup Size 가 일정하지 않을 경우 Xbar S 관리도가 권고된다.

[29] Analyze / Quality and Process / Control Chart 의 Xbar Control Chart 에서 Xbar S 관리도를 실행시키기 위해서는 실행 윈도우 하단의 Dispersion Chart 에서 Standard Deviation 을 선택하면 된다.

[그림 8.27]

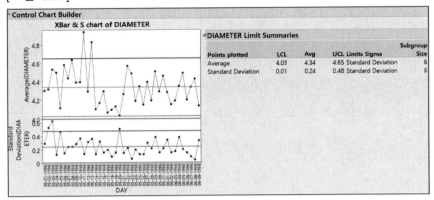

이번에는 Subgroup Size 가 달라지는 경우의 Xbar-R 관리도에 대해 살펴보자.
'Weight.jmp' 데이터는 Subgroup size 가 4 로 설정되어 있으나 일부
Subgroup 에서 결측치(missing value)가 발생한 경우이다. Control Chart
Builder 에서 Weight 변수를 Y 에 드롭하여 I-MR 관리도를 그리면 다음과 같다.
일부 데이터에서 결측치가 있음이 확인된다[30].

[그림 8.28]

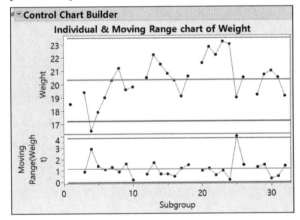

---

[30] 결측치 여부를 정확히 확인하기 위해서는 ▼Control Chart Builder / Connect thru missing 이
선택되어 있지 않아야 한다.

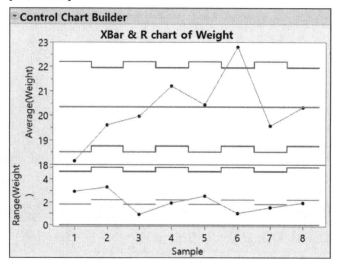

🖰 I-MR 관리도에서 Sample 변수를 Subgroup 에 드롭하면 Xbar-R 관리도가 생성된다. 일부 Subgroup 에서 결측치가 있으므로 데이터의 개수가 달라져서 관리선이 일정하지 않게 표현된다.

[그림 8.29]

4. Levey Jennings(레비 제닝) 관리도

관리도의 관리선은 일반적으로 군내변동을 기준으로 계산한다. 그 이유는 관리도는 프로세스에 있는 변동(산포)을 내재된 우연 원인과 그렇지 않은 이상원인으로 구분하기 위하여 군(subgroup)을 분리하여 각각 군내 변동과 군간 변동을 계산하고, 군내 변동을 기준으로 관리선을 그리고 그것을 벗어난 만큼을 군간 변동으로 보기 때문이다.

Levey Jennings(레비 제닝) 관리도는 데이터 전체의 변동(총변동)이 군내, 군간 변동으로 구분하지 않는 Overall Sigma 를 기준으로 계산한다. Overall Sigma 는 **Analyze / distribution** 에서 계산된 표준 편차와 동일하다.

앞에서 살펴본 'Diameter.jmp' 데이터를 가지고 살펴보자.

🖐 Diameter 변수를 **Y** 축에, Day 변수를 **Subgroup** 에 드래그한다. 그런 다음, Xbar 관리도에서 우측 마우스 클릭, **Limits / Sigma / Levey Jennings** 을 선택하면 된다.

[그림 8.30]

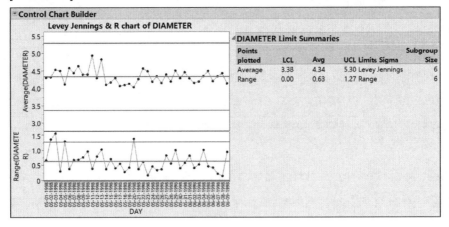

Within Sigma 가 아니라 Overall Sigma 를 가지고 관리선을 표현했기 때문에 Xbar 관리도의 관리선이 4.03 ~ 4.65 에서 3.38 ~ 5.30 으로 넓어졌다. 이상원인의 영향이 클 경우에는 관리 한계선의 폭이 넓어지고 관리도의 검출 능력이 떨어지게 되므로, 이럴 경우에는 Levey Jennings 관리도가 권고되지 않는다.

전통적인 슈와르트 관리도에서는 군내 변동과 군간 변동의 분리를 위해 합리적 부분군(Rational subgrouping)을 전제하는 데, 실무에서는 이러한 합리적 부분군이 잘 되지 않는 경우가 많아 이에 대한 대안으로 부분군을 고려하지 않는 Levey Jennings 관리도가 대두되었다. 이렇게 하면 관리 한계의 폭이 넓어지므로 이러한 점을 보완하기 위해 실무에서는 Western Electric Rules 이 아닌 Westgard Rules 를 사용하기도 한다. 이를 적용하기 위해서는 왼쪽 Panel 창에서 Warnings 부분을 수정하거나 관리도에서 우측 마우스 클릭, **Warnings / Westgard Rules** 을 선택하면 된다. 이 중에서도 Rule 1 2S 를 많이 활용한다. Rule 1 2S 에서는 [그림 7.13]에서 설명한 것처럼 한 개의 점이라도 (2*표준편차) 한계를 초과하면 관리이탈로 규정한다.

5. Short Run 관리도[31]

고객의 다양한 수요의 부응하기 위한 다품종 소량 생산은 많은 업종에서 일반적인 현상이 되었다. 즉, 하나의 프로세스에서 여러 제품이 생산되는 경우가 빈번한 데, 이럴 경우 각 제품의 목표가 서로 다르면 제품 전체에 적용되는 기존 관리도가 오해를 불러일으킬 수 있다.

Short Run 관리도는 각각의 제품에 대한 데이터를 중심화(centering) 하거나 표준화(standardizing)함으로써 프로세스 상태를 표시하는 데 보다 유효할 수 있다. Centered Chart 에서는 각 제품의 목표를 사용하여 데이터가 중심화되고, Standardized Chart 에서는 각 제품의 목표와 시그마 조합을 활용하여 표준화된다.
이 기능은 **Control Chart Builder** 및 **Analyze / Quality and Process / Control Chart** 의 하위 메뉴에서 활용할 수 있으며 관리도에 타점되는 통계량과 관리선의 산출 방식에 따라 다양한 종류의 **Short Run 관리도**를 표현할 수 있다.
[그림 8.31]

상황	Short Run Control Chart	Control Chart Builder	
		Points / Statistic	Limit / Sigma(관리선)
Variables Charts -그룹핑 변수 (Subgroup) 없거나 -요약되지 않은 Data	Short Run Difference	Centered	Moving Range
	Short Run Z	Standardized	Moving Range
	Short Run Moving Range on Centered	Moving Range Centered	Moving Range
	Short Run Moving Range on Standardized	Moving Range Standardized	Moving Range
Variables Charts -그룹핑 변수 (Subgroup) 있거나 -요약된 Data	Short Run Average Difference	Centered	Range
	Short Run Z	Standardized	Range
	Short Run Range on Centered	Range Centered	Range
	Short Run Range on Standardized	Range Standardized	Range

---

[31] 이 기능은 JMP18 이후 Version 에서 활용 가능.

'Chocolate Factory.jmp' 데이터는 초콜릿 생산 공정에 대한 데이터이다. 이 초콜릿 공장은 동일한 생산 라인에서 3 가지 초콜릿 제형을 생산한다. 초콜릿은 고객 주문에 따라 단기적인 배치로 생산되며 생산 라인은 수시로 코코아 함량이 각각 다른 제형의 초콜릿으로 전환된다.

[그림 8.32]

	Product	% Cocoa	Box
	Milk Chocolate	87.5	64
	Dark Chocolate		
	Extra Dark Chocolate		
		27	19
1	Extra Dark Chocolate	84.65	19
2	Extra Dark Chocolate	84.58	19
3	Extra Dark Chocolate	87.47	19
4	Extra Dark Chocolate	86.76	19

전통적인 Xbar-R 관리도를 활용하면 제품별 목표 값이 서로 상이하므로 잘못된 분석 및 해석을 할 수 있다.

[그림 8.33]

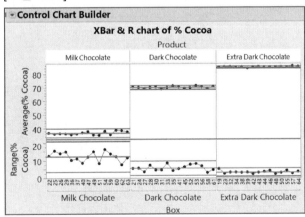

반면, Short Run 관리도에서는 측정 값을 중심화 또는 표준화하기 때문에 아래와 같이 표현된다[32].

---

[32] Short Run 관리도 실행을 위해서는 각 제품별로 Target, Sigma 값을 입력해야 한다. 위의 그래프는 Short Run 관리도 중에서 Short Run Average Difference Chart 이다.

[그림 8.34]

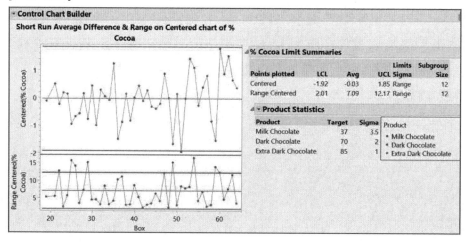

9 장. 계수형 관리도

본 장에서는 Control Chart Builder 기능을 활용한 계수형 관리도[33]에 대해 살펴보기로 한다.
1) P 관리도와 NP 관리도
2) U 관리도와 C 관리도
3) Laney P', U' 관리도

JMP 에서 표현 가능한 계수형 관리도는 시그마 계산에 사용되는 분포, 통계량의 유형에 따라 다음과 같이 구분할 수 있다. 측정 결과가 불량 여부인 경우 P 또는 NP 관리도를 활용하며 이항분포에 의해 관리선이 결정된다. 측정 결과가 결점수인 경우는 포아송 분포를 활용한 U 또는 C 관리도를 활용한다. 일반적으로 Subgroup Size 가 동일할 경우는 통계량으로 개수 (count)를 활용하여 NP 관리도 또는 C 관리도를 활용하고, Subgroup Size 가 동일하지 않을 경우는 비율(proportion)을 활용하여 P 관리도 또는 U 관리도를 활용한다.

P 관리도는 불량율 관리도, NP 관리도는 불량 개수 관리도라 부르기도 하고 U 관리도는 단위당 결점수 관리도, C 관리도는 결점수 관리도라고도 한다.

[그림 9.1]

시그마 계산에 사용되는 분포	통계량 유형 : 비율	통계량 유형 : 개수
이항	P 차트, Laney P' 차트	NP 차트
Poisson	U 차트, Laney U' 차트	C 차트

---

[33] 계수형 관리도는 앞에서 살펴본 것처럼 종종 이산형 관리도, 범주형 관리도라 부르기도 한다.

1. P 관리도와 NP 관리도

'Washers.jmp' 데이터를 활용하여 P 관리도와 NP 관리도에 대해 살펴보자. 이 데이터는 15개 lot의 불량 개수(#defective)에 대한 것이다.

[그림 9.2]

	Lot	Lot Size	Lot Size 2	# defective
1	1	400	320	1
2	2	400	410	3
3	3	400	405	0
4	4	400	365	7

🖰 **Control Chart Builder** 에서 #defective 변수를 **Y** 축에 드롭한다. 그런 다음 범주형 관리도를 생성하기 위해 **Shewhart Variables** 를 **Shewhart Attribute** 로 변경한다. **Points / Statistic** 을 **Proportion** 으로 변경하고, **Limits / Sigma** 에서 **Binomial(P, NP)** 선택한 후, Sample Size 가 일정함을 나타내는 Lot Size 변수를 관리도 오른쪽 하단 **N Trials** 로 드래그한다. 그런 다음 ▼**Control Chart Builder / Show limit labels** 를 클릭하면 아래와 같다. 불량율을 표현하는 P 관리도의 최종 모습이며 관리 상한선을 벗어난 경우가 있음을 알 수 있다.

[그림 9.3]

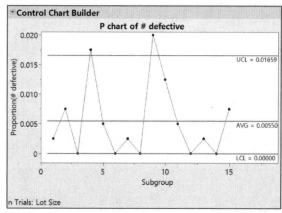

⊸ 만약 Sample Size 가 일정하지 않는 Lot Size 2 변수를 **N Trials** 에
드래그하면 관리 상한선이 Sample Size 의 변동에 따라 불규칙하게
표현된다.

[그림 9.4]

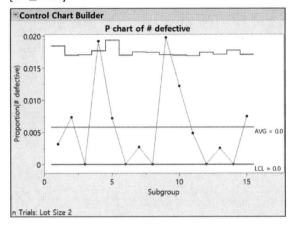

[그림 9.3]의 결과에서 타점의 통계량을 **Proportion** 에서 **Count** 로 변경하면
NP 관리도(불량 개수 관리도)가 된다.

[그림 9.5]

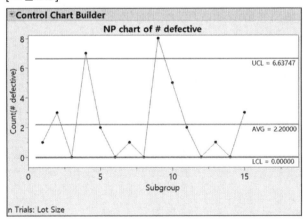

2. U 관리도와 C 관리도

'Bottle Tops.jmp' 데이터를 활용하여 U 관리도와 C 관리도에 대해 살펴보자. 이 데이터는 54 개 Sample(Subgroup)에 대해 적합품 여부(Status : conform, nonconform)를 판단한 데이터로 2 개의 단계(Phase)로 구분되어 있다.

[그림 9.6]

	Sample	Status	Phase
	54	conform	2
		nonconform	
	1		
1	1	conform	1
2	1	conform	1
3	1	conform	1
4	1	conform	1
5	1	conform	1
6	1	conform	1
7	1	conform	1
8	1	nonconform	1

🖱 **Control Chart Builder** 에서 Status 변수를 **Y** 축에 Drop 한다. 그런 다음 Sample 변수를 **Subgroup** 에 드래그한다. **Points / Statistic** 을 **Count** 로 변경하고, **Limits / Sigma** 에서 **Poisson(C, U)** 선택하면 단위 당 결점 수를 표현하는 C 관리도가 출력된다.

[그림 9.7]

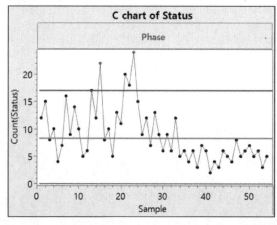

여기서 타점 통계량을 **Proportion** 으로 변경하면 U 관리도가 된다. [그림 9.8]은 Phase 변수를 Phase 에 드래그한 후의 결과이다.

[그림 9.8]

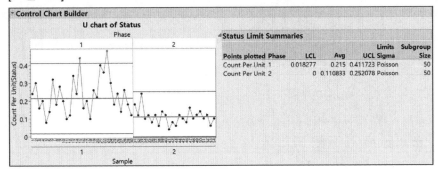

3. Laney P', U' 관리도

앞 장에서 살펴본 것처럼 P 또는 NP 관리도는 이항 분포(Binomial distribution)를 활용하고 U 또는 C 관리도는 포아송 분포(Poisson distribution)을 활용한다.

이항 분포 또는 포아송 분포에서 가정하는 것보다 데이터의 변동성이 더 크면 산포가 제대로 추정되지 못할 가능성이 높아진다. 특히 Subgroup Size 가 클 경우에는 과대 산포(overdispersion) 또는 과소 산포 (underdispersion)가 발생할 수 있어 전통적인 계량형 관리도로는 실제 상황을 정확하게 반영하지 못할 수가 있다. 이럴 경우 Laney P', U' 관리도를 사용할 수 있다[34].

---

[34] 전통적인 P, U 관리도와 구분하여 P', U'으로 표기하며 읽을 때는 Laney P Chart 또는 Laney P Prime Chart 로 읽는다. Laney P', U' 관리도는 JMP17 버전에 Analyze / Quality and Process / Control Chart 의 하위 메뉴로 새롭게 추가되었고, Control Chart Builder 에서도 Limit 에 대한 통계량(Sigma)에서 Laney (P') 또는 Laney (U')를 선택할 수 있다.

먼저 Laney P' 관리도에 대해 살펴보자.

전통적인 P 관리도는 모든 Subgroup 에서 평균이 동일하고 시간에 따른 변동(Time drift)이 없다고 가정하지만, 이로 인해 데이터 변동이 과소 평가될 여지가 있다. 변동이 과소 평가되면 관리선의 폭이 좁아져 상대적으로 작은 변동이라 하더라도 이상원인 발생이라고 잘못 판단할 가능성이 높아진다.

아래는 P 관리도와 Laney P' 관리도의 관리 한계를 계산하는 공식이다. Laney P' 관리도에서는 **Moving range sigma** 를 기반으로 하는 **Sigma 승수(multiplier)**가 포함되어 있다

P-Chart Control Limits	P'-Chart Control Limits
$$\text{P-CL} = \bar{p} \pm 3\sqrt{\frac{\bar{p}(1-\bar{p})}{n_i}}$$	$$\text{P'-CL} = \bar{p} \pm 3\sigma_z\sqrt{\frac{\bar{p}(1-\bar{p})}{n_i}}$$

-pbar : subgroup 별 평균 부적합 비율

-3 : Sigma Multiplier(종종 K 로 표현)

-σ_z : moving range sigma on standardized values

'Electrical Component Defect Screening.jmp' 데이터를 가지고 살펴보자. 주 5 일, 20 주 동안 불량 개수를 측정한 데이터이다.

[그림 9.9]

	Day	Weekday	Week	N Units	N Defective
		Monday	1	111	12
		Tuesday	2		
		Wednesday	3		
		Thursday	4		
		Friday	5	86	0
			15 ...		
1	1	Monday	1	95	4
2	2	Tuesday	1	96	4
3	3	Wednesday	1	103	6
4	4	Thursday	1	102	3

☞ **Control Chart Builder** 에 들어가서 **Shewhart Attributes** 선택 후 **Y** 에 N Defective, **Subgroup** 에 Week 를 드래그한 다음, **Point Statistics** 에

Proportion, **Limits Sigma** 를 **Binomial(P, NP)**로 설정하고, **n Trial** 에 N units 를 드래그하면 P 관리도가 그려진다. 또한 **Limits Sigma** 에서 **Laney (P')**를 선택하면 Laney P' 관리도가 그려진다. [그림 9.10]은 P 관리도와 Laney P' 관리도를 비교한 것이다. Laney P' 관리도가 관리선의 폭이 좀 더 넓고, 관리하한선은 '0' 이다.

[그림 9.10]

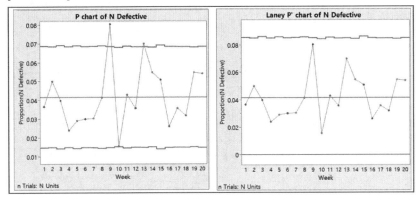

이번에는 Laney U' 관리도에 대해 살펴보자.

일반적인 U 관리도는 포아송 분포를 활용하고 단위 또는 정규화된 개수 데이터를 사용한다. U 관리도는 모든 Subgroup 에서 평균이 동일하고 시간에 따른 변동(Time drift)이 없다고 가정하지만, 이로 인해 데이터 변동이 과소 평가될 여지가 있다. 변동이 과소 평가되면 관리선의 폭이 좁아져 이상 원인 발생이라고 잘못 판단할 가능성이 높아진다.

아래는 P 관리도와 Laney U' 관리도의 관리 한계를 계산하는 공식이다. Laney P' 관리도처럼 Laney U' 관리도는 Moving range sigma 를 기반으로 하는 Sigma 승수(multiplier)가 포함되어 있다.

U-Chart Control Limits

$$U\text{-CL} = \bar{u} \pm 3\sqrt{\frac{\bar{u}}{n_i}}$$

U'-Chart Control Limits

$$U'\text{-CL} = \bar{u} \pm 3\sigma_z\sqrt{\frac{\bar{u}}{n_i}}$$

-ubar : subgroup 별 평균 부적합 개수

-3 : Sigma Multiplier(종종 K 로 표현)

-σz : moving range sigma on standardized values

Control Chart Builder 에서도 Laney U' 관리도를 그릴 수 있지만 **Analyze /
Quality and Process / Control Chart** 아래에서 일반적인 U 관리도와 Laney
U' 관리도를 모두 그려 비교해 보자.

🖰 두 관리도 모두 **Y** 에 N Defective, **Subgrou**p 에 Week 를 선택하면 된다.
결과는 다음과 같다. 이 경우에도 Laney U' 관리도의 관리선이 일반적인
U 관리도의 관리선보다 폭이 넓다.

[그림 9.11]

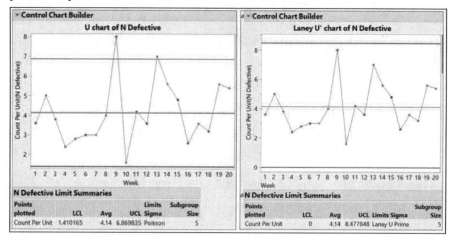

일반적인 상황에서도 P, U 관리도가 아닌 Laney P', U' 관리도를 사용함에 따른
특별한 문제점은 없다. 만약 과대 산포가 없다면 moving range sigma 조정이
거의 1 에 가까우므로 일반적인 P, U 관리도와 거의 동일한 관리도가
만들어지기 때문이다.

10. 시간 가중 관리도

지금까지 살펴본 슈와르트 관리도의 단점 중의 하나는 특정 시점의 관리도는 해당 시점에서 얻어진 샘플에 대한 정보만을 이용하고 그 이전의 정보를 활용하지 않음으로 인해 프로세스의 작은 변동을 잘 탐지하지 못한다는 것이다. 이번 장에서 살펴볼 시간 가중 관리도 또는 가중 이동 평균 관리도(Weighted Moving Average Control Chart)는 프로세스의 작은 변동을 잘 탐지하지 못하는 전통적인 슈와르트 관리도의 취약점을 보완하기 위해 개발된 관리도이다. 특히 정규 분포를 따르지 않는 데이터에 대해서도 적용이 가능하다.

시간 가중 관리도에는
1) 일정 기간 동안의 이동 평균을 활용하는 UWMA(Uniformly Weighted Moving Average) 관리도[35]
2) 최근 자료에 가중치를 많이 두는 EWMA(Exponentially Weighted Moving Average) 관리도(지수 가중 이동 평균 관리도)
3) CUSUM(Cumulative Sum, 누적합) 관리도 등이 있다.

시간 가중 관리도는 **Analyze / Quality and Process** 아래 **Control Chart** 및 **Legacy Control Chart** 에 있다. 이 책에서는 Control Chart 아래에 있는 CUSUM 관리도와 EWMA 관리도에 대해 살펴보기로 한다.
[그림 10.1]

Menu	Sub-Menu	설명
Control Chart	CUSUM Control Chart	Modern version(no V-Mask)
	EWMA(지수 가중 이동 평균)	
Legacy Control Chart	CUSUM	Original version(V-mask)
	UWMA	
	EWMA	

---

[35] MA(Moving average) 관리도라고도 한다.

1. EWMA 관리도

EWMA 관리도는 최근 자료에 가중치를 많이 둔 이동 평균을 활용하기 위해 이전 Subgroup 에서 지수적으로 감소하는 가중치(Lambda)를 부여한다. 타점되는 통계량은 현재 Subgroup 의 평균을 포함하여 이전의 모든 Subgroup 평균에 대한 가중 평균이다.

🖰 Sample Data 'Clips1.jmp'를 가지고 살펴보자. 이 데이터는 20 개의 Subgroup 에서 각각 5 개씩 측정한 데이터가 있다. 먼저 I-MR 관리도를 그려보면 특이한 형태가 보이지 않는 것으로 확인된다.

[그림 10.2]

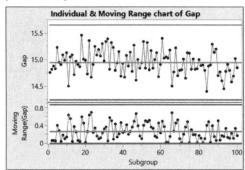

🖰 슈와르트 관리도의 이상 원인 검출 기준(Warning Tests) 8 가지를 모두 설정하고 Xbar-R 관리도를 그려보아도 특이한 증상이 보이지 않는다.

[그림 10.3]

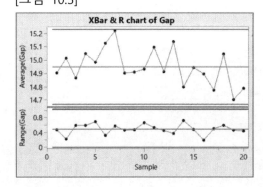

EMWA 관리도를 그려보자. **Analyze / Quality and Process / Control Chart / EWMA Control Chart** 에 들어가서 Gap 변수를 **Y** 로, Sample 을 **Subgroup** 으로 선택한 후 OK 를 클릭한다. EWMA 관리도, 평균 관리도 및 잔차 관리도가 출력된다. [그림 10.4]는 분석 결과에서 **▼EWMA~/Test beyond Limits** 를 선택하고 예측 값을 Labelling 한 결과이다.

[그림 10.4]

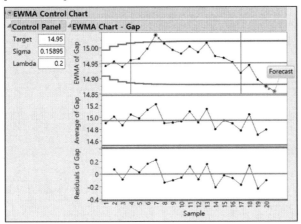

 Target 에는 평균값이 표시되는 데, 만약 Spec 에 Target 값이 입력되어 있거나 임의의 값을 입력하면 해당 값이 표시된다. Sigma 는 이동 평균 범위(average moving range) 값으로 바로 앞의 값과의 차이의 절대값이다. Lag 함수를 활용한다면 Abs(:Gap - Lag(:Gap))로 표현할 수 있다. 당연히 Sigma 값이 작을수록 EWMA 관리도에서 이상원인으로 판정될 수 있는 가능성은 커진다.

Lambda(λ) 값은 가중치를 지정하기 위한 평활 상수 값으로 JMP 의 디폴트 값은 0.2 이다. 시점 t 에서의 데이터에 대해서는 λ 만큼, 시점 (t-1)에 해당하는 데이터에 대해서는 $\lambda*(1-\lambda)$만큼 지정한다. 예를 들어 데이터가 세 개 있다면 $\lambda*X_t + \lambda(1-\lambda)X_{t-1} + \lambda(1-\lambda)^2X_{t-2}$ 로 계산된다.

만약 λ 가 0.2 라면, $(0.2)*X_t + (0.2)(0.8)X_{t-1} + 0.2(0.8)^2X_{t-2}$ 로 계산되며 과거 데이터일수록 가중치가 작아지는 구조이다.

▼EWMA~ / Lambda Slider 기능을 활용하여 Lambda 값 변화에 따른

EWMA 관리도의 변화를 파악해 볼 수도 있다.

🖱 EWMA 관리도에 표시되는 보라색 수직선(shift line)은 변화(Shift)가 감지되는 지점을 표시한다. 변화 시작은 EWMA 값이 특정 방향으로 중심선과 교차한 이후 첫 번째 점으로 정의된다. [그림 10′4]를 보면 Sample 7 의 점이 상한선 위에 있는 데, 그 이전의 데이터 중 목표값 선 아래에 있는 가장 최근 점은 Sample 3 이므로 Sample 4 가 양의 변화가 일어나는 시점이 된다. 반면, Sample 20 의 점이 하한선 아래에 있는 데, 여기에서 목표값 선 위에 있는 가장 최근 점은 Sample 16 이므로 Sample 17 이 음의 변화가 일어나는 시점이 된다.
▼EWMA~ / Save Summaries 를 클릭하여 Shift 에 대한 세부 정보를 확인할 수 있다.
[그림 10.5]

	Sample	Sample Label	n Gap	Sample Mean Gap	Shift Start Gap	Interval Gap	EWMA of Gap	Positive Runs of Gap
1	1	1	5	14.904		1	14.9408	0
2	2	2	5	15.014		1	14.95544	1
3	3	3	5	14.866		1	14.937552	0
4	4	4	5	15.048	*	2	14.9596416	1
5	5	5	5	14.984		2	14.96451328	2
6	6	6	5	15.126		2	14.996810624	3

🖱 세 번째에 있는 Residual 관리도는 해당 시점 데이터와 앞의 EWMA 값과의 차이로 자기 상관(Autocorrelation) 확인용으로 활용된다. 지금은 상승 또는 하강 등의 특이한 패턴이 보이지 않으므로 자기 상관은 없다고 말할 수 있다.

🖱 [그림 10.6]은 ▼EWMA~ / Show ARL 을 선택한 결과이다. ARL(Average Run Length, 평균 런 길이)은 Lambda 의 함수로서 이상원인이 발생하기 전 예상되는 Run 의 평균 길이 즉, 관리도가 Out of Control 을 탐지하기 전까지의 Sample point 의 개수를 말한다.

[그림 10.6]

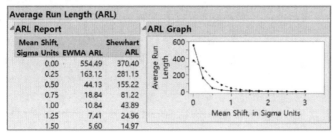

Average Run Length (ARL)			
ARL Report			**ARL Graph**
Mean Shift, Sigma Units	EWMA ARL	Shewhart ARL	
0.00	554.49	370.40	
0.25	163.12	281.15	
0.50	44.13	155.22	
0.75	18.84	81.22	
1.00	10.84	43.89	
1.25	7.41	24.96	
1.50	5.60	14.97	

슈와르트 관리도는 관리도에 타점되는 데이터의 정규성(Normality)과 독립성을 전제로 하여 관리선을 이탈할 확률이 0.27%, 즉 이상 원인으로 인해 관리선을 이탈할 확률이 0.27%가 되도록 설계된 관리도로 0.27%의 1 종 오류(Type1 Error)를 가지도록 설계된 개념이므로 ARL 이 370(1 / 0.27%) 정도가 되어야 한다. 이를 위해서는 관리도에 타점되는 데이터의 개수가 최소 370 개가 되어야 하고 370 개 중에 1 개 정도의 데이터가 Out of Control 이 되어야 한다. 만약 +/-1 Sigma 정도의 변동이 있다면 이상원인 탐지를 위해서는 44 개(1/0.0228)개가 필요하다는 뜻이다. [그림 10.6]의 내용을 보면 Sigma 로 환산된 평균의 변화(Mean Shift, Sigma Units)가 0.25 ~ 1.5 정도로 작을 때는 슈와르트 관리도보다 EWMA 관리도의 ARL 이 더 작으므로 EWMA 관리도가 훨씬 적은 수의 런으로 이상원인을 탐지할 수 있다는 뜻이다.

2. CUSUM(Cumulative Sum, 누적합) 관리도

CUSUM(Cumulative Sum, 누적합) 관리도 또한 EWMA 관리도처럼 프로세스의 미세한 변화를 탐지하기 위한 목적으로 많이 활용된다. JMP 의 CUSUM 관리도는 결정 한계가 포함되어 있으며 Tabular CUSUM 관리도라고도 한다[36].

---

[36] Tabular CUSUM 관리도는 Analyze / Quality and Process / Control Chart 아래에 있으며 전 V-Mask CUSUM 관리도는 Analyze / Quality and Process / Legacy Control Chart 아래에 있다.

보통 시간 순서로 된 연속형 데이터를 가지고 목표 값과 측정 값들의 편차(차이)의 누적합을 계산하며 Sample Size 가 1 일 때 많이 활용된다.

'Engine Temperature Sensor.jmp'를 가지고 살펴보자. 이 데이터는 온도의 작은 변화를 탐지하기 위한 데이터다.

🖱 먼저 I-MR 관리도를 그려보았을 때는 특이한 형태가 보이지 않는 것으로 확인된다.

[그림 10.7]

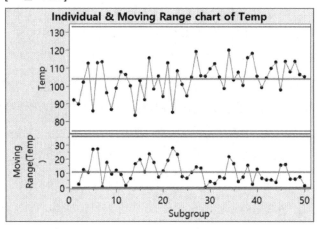

🖱 **Analyze / Quality and Process / Control Chart / CUSUM Control Chart** 에서 **Temp** 를 Y 로 선택한다. 분석 결과 **Control Panel** 에서 Target 10, Sigma 5 를 입력한다.

[그림 10.8]

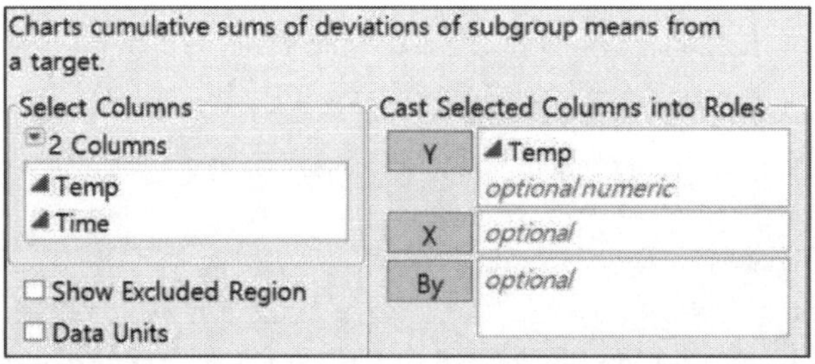

분석 결과에서 Control Panel 에 대한 설명은 다음과 같다.

1) **Target** : 평균값, **Column Property** 에 Target 값이 있으면 이 값을 따른다.

2) **Sigma** : 알려진 편차값, Moving Range 로 계산

3) **Head Start** : 첫번째 데이터 이전의 누적합 값, 보통 0, FIR(Fast Initial Response) 값이라고도 한다.

4) **h** : 한계를 정의하는 모수의 값, 기본값은 5 이며 실행 윈도우에서 'Data Units' 를 선택하면 H(h*Sigma) 로 표기된다.

5) **k** : 감지할 최소 평균 변화를 정의하는 모수의 값, 기본값은 0.5 이며, 실행 윈도우에서 **Data Units** 를 선택하면 K(k*Sigma) 로 표기된다.

6) **Upper Side**, **Lower Side** : 관리도에서 양수 또는 음수 값을 표시하거나 숨기는 기능이다.

[그림 10.9]

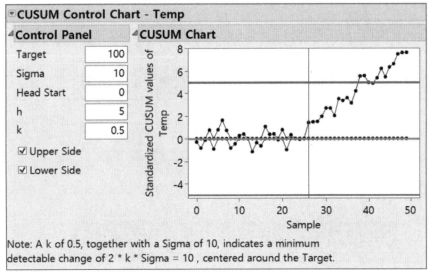

Sample 26 번에서 온도 값의 변화가 시작되었음을 보여준다.

11. 다변량 관리도

다변량 관리도(Multivariate Control Chart)는 글자 그대로 하나의 변수가 아니라 상관 관계가 있는 두 개 이상의 변수의 변화를 모니터링하기 위한 관리도이다.

Sample Data 'Outlier-2D.jmp'를 가지고 살펴보면 다변량 관리도의 의미와 필요성을 시각적으로 바로 확인할 수 있다.

🖑 X, Y 두 변수에 대해 Individual 관리도를 그려보면 다음과 같다. 두 변수 모두 관리선을 약간 벗어난 데이터가 몇 개 보이나, 아주 특이한 사항은 보이지 않는다.

[그림 11.1]

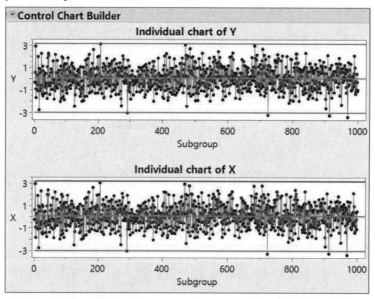

🖑 아래는 두 변수의 관련성을 보기 위해 **Analyze / Fit Y by X** 에서 관련 그래프를 그려본 결과이다. I-MR 이나 Xbar-R 과 같은 단변량 관리도에서는

아래 그래프에서 확인할 수 있는 이상치 데이터를 발견하기가 쉽지 않다.
[그림 11.2]

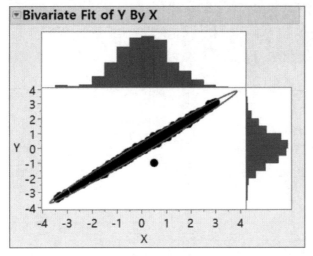

JMP 에는 Mahalanobis 거리의 제곱을 활용한 Hotelling T² 다변량 관리도 (**Analyze / Quality and Process / Control Chart / Multivariate Control Chart**) 와 **PCA(Principal Component Analysis)**, **PLS(Partial Least Square)** 방법을 기반으로 관리도를 표현하는 모델 기반 다변량 관리도 (**Analyze / Quality and Process / Model Driven Multivariate Control Chart**)가 포함되어 있다.

이 책에서는 모델 기반 다변량 관리도에 대해 살펴보기로 한다.
JMP 에서는 T² 통계량, SPE(Squared Prediction Error) 등에 기반하여 대화식 (Interactive)으로 개별 변수의 기여도를 조사, 진단할 수 있다.

Sample Data 'Steam Turbine Historical.jmp' 를 이용하여 살펴보자. Fuel 부터 Pressure 까지 서로 연관되어 있을 수 있다는 가정하에 모델 기반 다변량 관리도를 이용하여 분석해 보자.

☞ 먼저 6 개 변수에 대해 다변량 상관 분석(**Analyze / Multivariate Methods / Multivariate**)해 보면 변수 간에 상당한 관련성을 확인할 수 있다.

[그림 11.3]

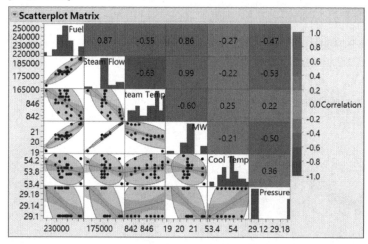

그 다음 **Analyze / Quality and Process / Model Driven Multivariate Control Chart** 에 들어가서 6 개 변수를 모두 선택하고 OK 를 클릭해 보면, 17 번 및 19 번 Sample 에서 Out of Control 이 발생하였음을 알 수 있다.

[그림 11.4]

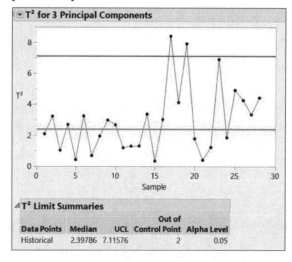

▼T² for 3 principal components / Contribution heat map 또는 Contribution proportion heat map 을 선택하여 각 Sample 별 6 개 변수

각각의 기여 정도를 시각적으로 확인할 수 있다.

[그림 11.5]

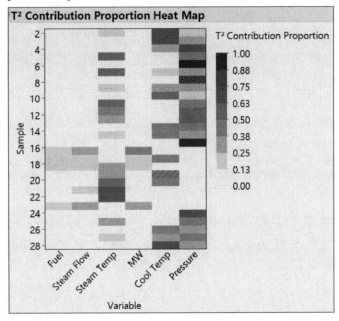

☞ [그림 11.5]의 **Contribution proportion heat map** 을 보면 Steam Temp, Cool Temp 및 Pressure 변수는 각 행의 T2 값에 영향을 많이 준 반면, 나머지 세 변수는 영향을 별로 주지 않음이 확인된다.

영향을 별로 주지 않는 세 변수는 변수들간 비슷한 패턴을 보이는 반면,

[그림 11.6]

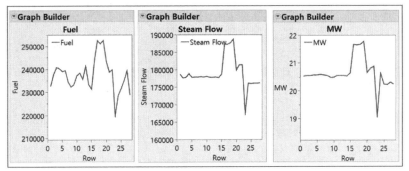

영향을 많이 주는 것으로 추정되는 세 변수는 전혀 다른 패턴을 보임을 알

수 있다.

[그림 11.7]

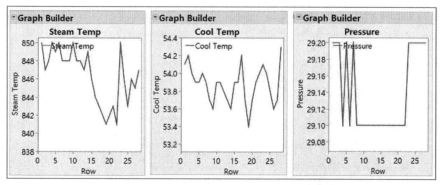

☜ [그림 11.4]에서 관리 이탈이 발생한 Sample 17 번의 타점에 마우스를 놓으면 JMP 의 특징 중의 **Hover Label** 기능을 이용한 **T² Contribution Proportion Plot** 이 표시된다. 연두색으로 표시되는 Cool Temp 변수와 달리 붉은 색으로 표시되는 MW 변수 등은 관리 이탈(Out of Control)에 크게 기여하는 변수임을 확인할 수 있다. 각각의 막대기에 마우스를 위치시키면 각 변수에 대한 I-MR 관리도가 디스플레이된다. 아래는 Cool Temp 와 MW 변수에 대해 디스플레이되는 I-MR 관리도를 게시해 놓은 것인 데 안정성 및 불안정성 여부를 쉽게 식별할 수 있다.

[그림 11.8]

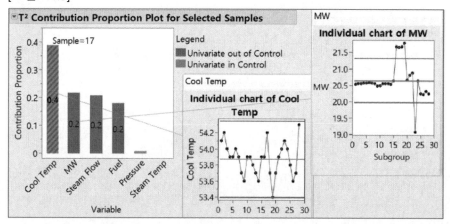

앞에서 설명한 모델 기반 다변량 관리도를 이용한 분석을 다시 정리하면,

1) 주성분을 이용한 T^2 관리도를 통해 관리 이탈 지점을 확인하고,

2) 해당 지점에서 T^2 Contribution Proportion Plot 을 통해 어느 변수가 관리 이탈에 보다 큰 영향을 주었는 지를 확인한 다음,

3) 해당 변수에 대한 I-MR, Xbar-R 등의 단변량 관리도 분석을 실행하는 3 단계로 되어 있다고 볼 수 있다.

🖰 이러한 모델 기반 다변량 관리도를 생성하는 주성분의 개수를 변경하고자 한다면, **▼PCA Model Driven ~ / Monitor the process / set component** 에서 하면 된다.

12. 실무 활용을 위한 몇 가지 토픽

1. 적절한 관리도의 선택

어떤 품질 특성치(CTQ : Critical to Quality)에 대해 측정을 다양한 방식으로 할 수 있으므로 경우에 따라서는 계량형 관리도와 계수형 관리도를 선택해야 할 수도 있다. 예를 들어 어떤 제품의 경도가 Spec 7~10 일 때, 제품별로 경도를 측정한 데이터를 통해 프로세스의 변화를 모니터링할 경우에는 계량형 관리도를 사용하지만 Spec In, Spec Out을 기준으로 불량 여부를 판정하였다면 계수형 관리도를 사용하여야 한다.

만약, 다수의 CTQ에 대해 관리도를 적용하고자 할 경우 각각의 CTQ에 대해 계량형 관리도를 적용하거나 모든 CTQ에 대해 계수형 관리도 또는 다변량 관리도를 적용할 수 있을 것이다.

[그림 12.1]

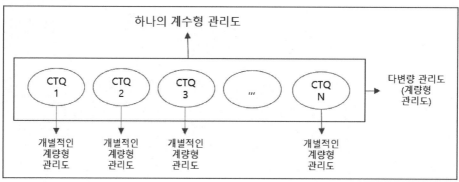

일반적으로 계수형 관리도에 비해 계량형 관리도는 프로세스의 변화에 대해 보다 많은 정보를 제공해 줄 수 있기 때문에 계량형 관리도가 선호된다. 반면, 계수형 관리도는 회당 측정 비용, 시간이 상대적으로 적게 소요되고 여러 CTQ를 동시에 고려하여 하나의 관리도를 표현할 수 있는 장점이 있다.

[그림 12.2]는 계량형 관리도와 계수형 관리도의 장단점을 간략히 비교한

내용이다[37].

[그림 12.2]

	계량형(Variable) 관리도	계수형(Atrribute) 관리도
장점	1) CTQ에 대해 보다 많은 정보 제공(평균, 산포) 2) 관리 이탈이 발생하였을 경우 타점값으로부터 많은 정보 파악가능 3) 관리 이탈의 가능성에 대한 경고가 제공됨 4) 프로세스의 변화를 모니터링하기 위해 상대적으로 적은 표본 크기 필요	1) 여러 CTQ를 동시에(한번에) 고려 가능 (시간과 비용이 절감됨) 2) 일반적으로 1회 측정 비용과 시간이 적게 소모
단점	1) 각각의 CTQ에 대해 개별적으로 고려 (상대적으로 많은 시간, 비용 소요)	1) 불량품이 발생하지 않는 한 사전 파악 난이 2) 관리 이탈이 발생하였을 경우에도 파악 가능한 정보가 제한적 3) 프로세스의 변화를 모니터링하기 위해 상대적으로 많은 수의 표본 필요

2. Hover Label 기능의 활용

Hover Label(가리키기 라벨) 기능은 변수에 대해 특정한 그래프로 표현한 뒤에 다른 그래프를 그 그래프 옆 또는 위에 띄워서 보다 깊게 그 변수를 파악할 수 있도록 도와주는 기능이다. 관리도 빌더에서도 관리도를 표시한 뒤에 Hover Label 기능을 통해 추가적인 정보를 표시할 수 있다.

'Diameter.jmp'를 데이터를 활용하여 Hover Label 기능 활용법에 대해 살펴보자.

- 🖰 **Control Chart Builder** 에서 Diameter 변수에 대해 Day 변수를 Subgroup 으로 하여 Xbar-R 관리도를 그린 다음, Xbar 관리도의 11 번째 타점을 선택, 우측 마우스 클릭 후 **Hovel Label / Tabulate** 를 선택하면 다음과 같이 정보가 표시된다.

---

[37] 이 내용은 Douglas C. Montgomery 'Introduction to Statistical Quality Control'의 한글 번역판(통계적 품질 관리, 제 3 판, 박창순/이재현 옮김)의 내용(277p ~ 288p)을 요약 정리하여 재구성하였다.

[그림 12.3]

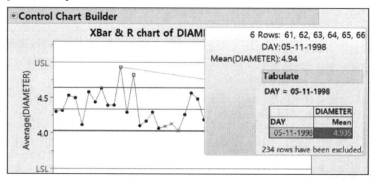

☝ 만약 여기에서 Mean 뿐만 아니라 Min, Max 값까지 추가적으로 표시하고자 한다면 **Hovel Label** 을 클릭하여 **Tabulate** 실행 윈도우를 활성화한다. 그런 다음 표시하고자 하는 추가 정보를 입력한 다음,

[그림 12.4]

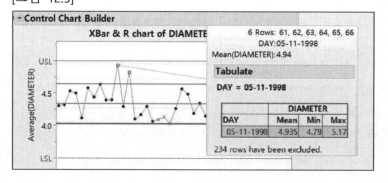

☝ **▼Tabulate / Save Script / to Chipboard** 를 클릭한다. 그런 다음 [그림 12.4]의 화면에서 **Hovel Label / Paste Graphlet** 를 선택한 후 **Hover Label** 기능을 재실행해 보면 아래와 같이 필요한 정보가 추가된다.

[그림 12.5]

3. 자동 재계산과 Alarm Script

관리도 빌더를 JMP 기능적인 측면에서 보면 관리도를 그리기 위한 그래프 빌더라고 볼 수 있다. JMP 의 그래프 빌더 기능에서는 데이터 테이블과 분석 결과가 연동되어 있으므로 관리도 빌더로 표현된 데이터에 변화가 발생하면 관리도가 자동 업데이트되는 데 이러한 JMP 의 기능을 잘 활용할 필요가 있다[38].

예를 들어 'CCB-Auto.jmp' 데이터에서 A 변수는 다음과 같이 Random Formula 를 활용하여 만든 데이터이다.
Random Normal (20, 9)

🖑 이 변수에 대해 관리도 빌더(이 경우는 I-MR 관리도)를 활성화하고 **Formula Editor** 화면을 열어서 [그림 12.6]의 결과에서 **Apply** 버튼 클릭을 통해 확인해 보면,

[그림 12.6]

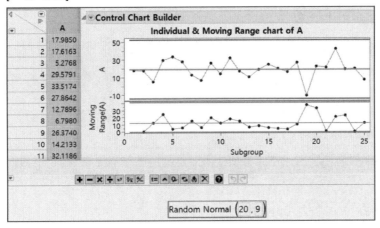

---

[38] 해당 기능은 그래프 빌더의 경우처럼 자동 재계산(Automatic Calculation) 기능이 디폴트로 설정되어 있는 경우에 가능하다.

🖰 [그림 12.7]에서 보는 것처럼 업데이트가 바로 반영된다.

[그림 12.7]

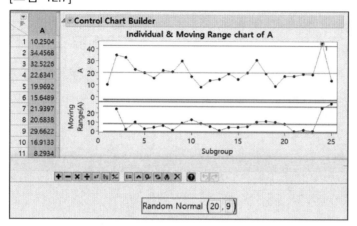

만약, Out of Control 이 발생하였을 경우 이를 자동으로 메일링되게 하고 싶다면 **Alarm Script** 기능을 활용하면 된다.

🖰 **Warning** 기준을 설정한 뒤 ▼**Control Chart Builder / Alarm Script** 에서 아래와 같이 수신받을 메일 주소를 설정해 놓았을 경우,

[그림 12.8]

```
○ Write with explanation
○ Write to File
○ Write to Log
◉ Email
○ Custom script or name of script:
○ None
 Mail(
     "shinikju@naver.com",
     "Warning ",
     Substitute(
         "Out of Control for test ^QCTEST in column ^QCCOL in sample ^QCSAMPLE.",
     "^QCTEST", Char( qc_test ),
     "^QCCOL", qc_col,
     "^QCSAMPLE", Char( qc_sample )
     )
 )
```

☝ [그림 12.9]와 같이 row 22 번에서 Out of Control 이 발생하면

[그림 12.9]

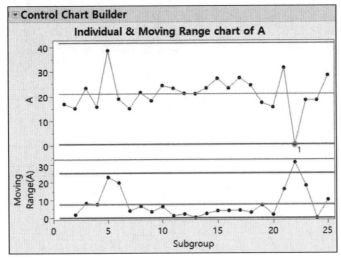

☝ 아래와 같이 'Out of Control for test 1 in column A in sample 22' 라는
메시지를 담은 메일이 자동으로 수신된다.

[그림 12.10]

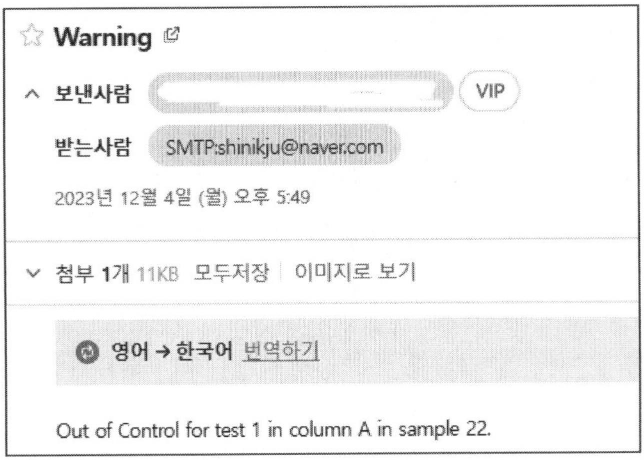

4. 희귀 사건 관리도

어떤 사건이 너무 간헐적으로 드물게 발생한다면 이러한 사건을 모니터링하기 위해서는 아주 긴 시간 동안의 관측이 필요하게 된다. 희귀 사건 관리도(Rare Event Control Chart)는 이런 경우에 적합한 관리도이다.

희귀 사건 관리도에는 **G Chart** 와 **T Chart** 가 있는 데 **G Chart** 는 음이항(Negative Binomial) 분포를 활용하여 일정 시간 사이에 발생한 사건 수를 측정하고, **T Chart** 는 와이블(Weibull) 분포를 활용하여 발생 시간 사이의 시간 간격을 측정한다. G Chart, T Chart 모두 Control Chart Builder 에서 표현할 수 있다.

1) G Chart

G Chart 는 희귀 사건이 예상보다 더 자주 발생하는 지, 개입이 필요한지 여부를 파악할 수 있는 좋은 방법이다. G Chart 는 드물게 발생하는 오류 또는 부적합 발생 사건 수를 측정하여 시간 경과에 따른 차트를 생성한다. 차트의 각 점은 상대적으로 드문 사건 발생 사이의 단위 수를 나타낸다.

'Adverse Reactions.jmp'는 병원 환자 그룹에 의해 보고된 ADE(약물 부작용 사례)에 대한 데이터이다. ADE 는 약물 복용 후의 모든 유형의 부상, 반응이며 ADE 반응 날짜, 반응 경과일 및 반응 경과일까지의 복용량에 대한 데이터가 있다.

[그림 12.11]

	Date of ADE	Days since Last ADE	Doses since Last ADE
	02-03-2011 03-15-2011 03-28-2011 04-22-2011 04-26-2011 16 others	86 2	26.4k 592
1	02-03-2011	12	7176
2	03-15-2011	40	21233
3	03-28-2011	13	3592
4	04-22-2011	25	26443

☞ **Control Chart Builder** 에서 Doses since Last ADE 를 **Y** 에, Date of ADE 를 **Subgroup** 에 드래그하고 드롭다운 목록에서 **Shewhart Variables** 를 **Rare Event** 로 변경하면 **G Chart** 가 생성된다. 이 때의 **Points / Statistics** 는 **Count** 이고 **Limits / Sigma** 는 **Negative Binomial(G)**이다.

[그림 12.12]

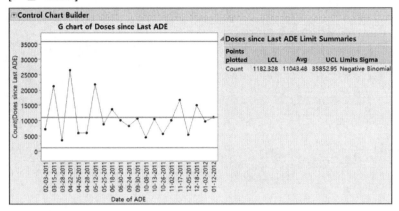

지금의 경우는 관리선을 이탈하여 타점된 경우가 없으므로 약물 부작용 사례 건수의 특이사항은 없다고 볼 수 있다. 만약 관리상한선을 벗어난 경우가 있다면 부작용이 발생하기까지의 경과일이 커졌다는 뜻이므로 긍정적인 의미로 해석할 수 있을 것이다.

2) T Chart

'Fan Burnout.jmp'에서 Burnout 변수는 연소된 각 팬을 나타내고 Hours between Burnouts 변수는 각 연소 사이의 시간을 의미한다. 마지막 사건 이후 경과한 시간을 측정하는 데 사용되는 **T Chart** 를 생성해 보자.

[그림 12.13]

	Burnout	Hours between Burnouts
1	1	286
2	2	948
3	3	498
4	4	124

Control Chart Builder 에서 Hours between Burnouts 를 **Y** 에, Burnout 를 **Subgroup** 에 드래그하고 드롭다운 목록에서 **Shewhart Variables** 를 **Rare Event** 로 변경한다. 그런 다음 **Limits / Sigma** 에서 **Negative Binomial(G)**를 **Weibull(T)**로 변경한다.

[그림 12.14]

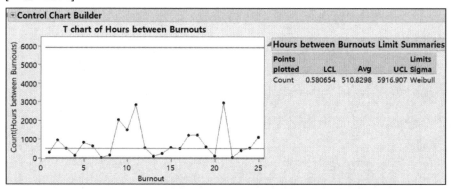

T Chart[39] 에서 모든 점이 관리한계 내에 있는 것으로 나타난다. 타점된 데이터의 값이 클수록 연소 사건 사이의 시간이 증가했음을 의미하므로 그 만큼 부작용이 감소했다는 뜻이 된다. 그러므로 관리 상한선 위로 타점된 경우가 있다면 지금의 경우에는 바람직한 효과로 간주될 수 있을 것이다.

---

[39] T Chart 는 음수가 아닌 숫자 데이터, 날짜/시간/시간 간격 데이터에 사용할 수 있으며 Control Chart Builder 에서 T Chart 의 데이터 값은 정수로 제한된다.

4부. 공정 능력 분석

13 장. 공정 능력 분석 기초

이번 장에서는 공정 능력 분석의 기본 개념에 대해 살펴볼 것이다. 세부적으로 아래 두 가지에 대해 학습한다.
1) 공정 능력과 공정 능력 지수
2) JMP 의 공정 능력 분석 기능

1. 공정 능력과 공정 능력 지수

관리도는 프로세스의 안정성(Stability)을 평가하고 모니터링하는 데 활용되는 반면 안정적(Stable) 또는 관리 상태(In control)에 있다고 해서 Spec 에 대비해서 충분한 품질 수준을 보이고 있다고는 말할 수 없기 때문에 이를 표현할 수 있는 통계적 개념이 필요하다. 이를 공정 능력(Process Capability)이라고 한다. 관리도가 프로세스의 안정성(Stability)를 파악하는 개념이라면 공정 능력은 프로세스의 능력(Capability 또는 Performance)을 분석하는 것이라 할 수 있다.

[그림 13.1]

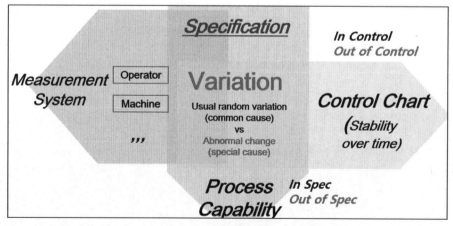

규격 상한(USL : Upper Spec Limit)과 규격 하한(LSL : Lower Spec Limit)이 모두 있는 경우 공정 능력은 규격(Spec) 대비한 프로세스의 평균과 산포 (표준편차)의 정도를 표현하는 데 아래 그림처럼 Spec 의 양쪽 폭(USL – LSL)과 변동성(공정의 평균이 어디에 위치하고 있는지, 공정의 산포는 얼마인지)을 비교하여 표현한다.

[그림 13.2]

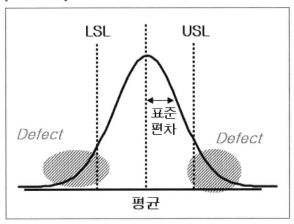

공정의 능력을 표현하는 지표를 공정 능력 지수(Process Capability Index)라고 한다. 공정 능력 지수로 가장 많이 활용되는 것으로 Cp, Cpk, Pp, Ppk 등이 있다. 이러한 공정 능력 지수의 공식을 간략히 살펴보면 다음과 같다.

1) Cp 또는 Pp = (USL – LSL) / (6*표준편차)

2) Cpl 또는 Ppl = (평균 – LSL) / (3*표준편차)

3) Cpu 또는 Ppu = (USL - 평균) / (3*표준편차)

4) Cpk 또는 Ppk = min(Cpl, Cpu) 또는 min(Ppl, Ppu)

위의 Cp, Cpk 와 같은 개념은 오직 우연 원인 (Common Cause)만 고려하여 계산되고 우연 원인과 더불어 이상 원인(Special Cause)까지를 감안하게 되면 표준 편차의 계산 방법이 달라지기 때문에 그 때는 Pp, Ppk (Cp, Cpk 와 Pp, Ppk 는 공식은 동일하나 분모에 있는 표준편차의 계산 방법이 다르다) 등으로 표현된다.

흔히 Cp, Cpk 등을 단기 공정 능력 지수라 표현하고 Pp, Ppk 등은 장기 공정 능력 지수라 표현한다. JMP 를 활용한 공정 능력 분석 결과가 [그림 13.3]과 같은 경우를 전제하여 공정 능력 지수의 계산 과정을 확인해 보자.

[그림 13.3]

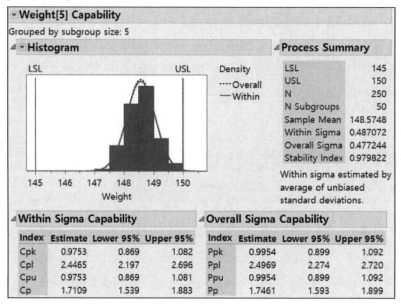

Within Sigma 를 활용한 Cp 및 Cpk 는 다음과 같이 계산된다.

먼저, Cp 부터 살펴보자.

Cp = (USL − LSL) / (6*Within Sigma)

   = (150 − 145) / (6*0.487072) = 1.7019 이다.

Cpk 는 아래와 같이 계산되었다.

Cpk = min(Cpl, Cpu)

   = min((평균 − LSL) / (3*Within Sigma), (USL - 평균) / (3*Within Sigma))

   = min((148.5748 − 145) / (3*0.487072), (150 - 148.5748) / (3*0.487072))

   = min(2.4465, 0.9753)

   = 0.9753

반면 **Overall Sigma** 를 활용한 Pp 및 Ppk 는 다음과 같이 계산된다.

Pp = (USL − LSL) / (6* Overall Sigma)

    = (150 − 145) / (6*0.477244) = 1.7461

Ppk = min(Ppl, Ppu)

    = min((평균 − LSL) / (3* Overall Sigma), (USL - 평균) / (3* Overall Sigma))

    = min((148.5748 − 145) / (3*0.477244), (150 - 148.5748) / (3*0.477244))

    = min(2.4969, 0.9954)

    = 0.9954

JMP 에서는 공정 능력을 계산하는 메뉴마다 몇 가지 다른 표준편차 계산 방법을 사용자가 선택할 수 있다.

총 변동 또는 전체 산포의 관점에서의 Overall Sigma(전체 표준편차)는 군내 변동 및 군간 변동을 구분하는 Subgroup 을 고려하지 않기 때문에 다음과 같은 공식으로 계산된다.

$$\hat{\sigma} = \sqrt{\frac{1}{N-1} \sum_{i=1}^{N} (y_i - \bar{y})^2}$$

반면 전체 데이터가 군내 및 군간으로 구분될 경우, 군내 변동을 계산하는 Within Sigma(군내 표준편차)에 대해서는 JMP 에서는 아래와 같이 네 가지 방법으로 계산될 수 있다[40].

1) **Average of unbiased standard deviations(불편 표준 편차 평균)** : Xbar-S 관리도에서의 표준 편차 계산 방법과 동일하다.

2) **Average of ranges(범위 평균)** : Xbar-R 관리도와 동일한 방식으로 표준 편차를 추정한다.

3) **Unbiased pooled standard deviation(불편 합동 표준 편차)** : 이 방법은

---

[40] 각각의 계산 방식 등에 대한 설명은 '7 장. 관리도의 기본 개념' 에서 '군내 산포 추정을 위한 몇 가지 계산 방식' 부분을 참고하기 바란다.

공정 능력 분석에서는 활용될 수 있으나 관리도의 경우 JMP 는 이 방법을 사용하지 않는다.

4) **Average moving range(이동 범위의 평균)** : I-MR 관리도와 동일한 방식으로 표준편차를 추정한다.

JMP 에서는 Subgroup Column 또는 일정한 Subgroup Size 를 지정하지 않으면 Subgroup Size 2 인 average moving range 로 Within Sigma 를 계산한다.

2. JMP 의 공정 능력 분석

JMP 에서 공정 능력 분석을 하기 위해서 사용되는 메뉴는 다음의 네 가지이다.

1) 하나의 변수에 대한 공정 능력 분석(14 장)

　　JMP 메뉴 : **Analyze / Distribution**

2) 여러 변수에 대한 공정 능력 분석(15 장)

　　JMP 메뉴 : **Analyze / Quality and Process / Capability Analysis**

3) 시간 순서로 정렬된 데이터에 대해 관리도와 함께 공정 능력 분석을 하고자 할 때(16 장)

　　JMP 메뉴 : **Analyze / Quality and Process / Control Chart Builder** 또는
　　　　　　　Control Chart 아래의 몇 가지 하위 기능

4) 안정성(Stability)과 공정 능력(Capability) 두 가지 관점에서 여러 변수를 스크리닝(16 장)

　　JMP 메뉴 : **Analyze / Quality and Process / Process Screening**

14 장. 하나의 변수에 대한 공정 능력 분석

1. 기본적인 분석

JMP 에서 하나의 변수 또는 개별 변수별로 공정 능력을 분석하기 위한 메뉴는 **Analyze / Distribution** 이다.

'Capability analysis.jmp' 데이터를 통해 살펴보자.

이 데이터에는 3 개의 변수가 있으며 Thickness 및 Purity 변수에는 변수 속성에 Spec 이 입력되어 있다. Spec 을 입력하기 위해서는 변수명 위에서 우측 마우스 클릭, **Column Property / Spec Limits** 에서 입력하면 된다. Spec 이 입력되면 왼쪽 **Column Panel** 의 변수명 오른쪽에 Spec 이 입력되어 있음을 표시해 주는 아이콘(*)이 표시된다.

[그림 14.1]

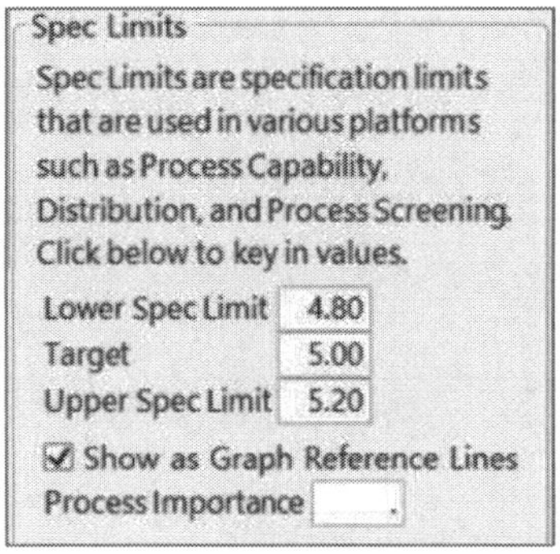

⬦ Spec 이 입력되어 있는 변수가 하나라도 있으면 **Analyze / Distribution** 실행 창에 '**Create Process Capability**' 부분이 표시된다. Spec 이 미리 입력되어 있지 않는 Weight 변수에 대해 공정 능력 분석을 해 보자.

[그림 14.2]

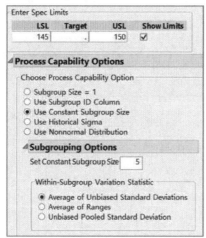

🖱 Weight 변수는 Spec 이 입력되어 있지 않으므로 **Analyze / Distribution** 을 실행했을 때 공정 능력 분석 결과가 바로 출력되지 않는다. ▼**Weight / Process Capability** 를 클릭하면 Spec, Subgroup 설정, Within Sigma 계산을 위한 통계량 결정 등에 대한 옵션이 표시된다. [그림 14.3]과 같이 LSL 과 USL 에 각각 145, 150 을 입력하고 Subgroup Size 를 5 로 설정한다. 또한 군내 표준 편차 추정 방식으로 **Average of unbiased standard deviations (불편 표준 편차 평균)**을 선택한다[41].

[그림 14.3]

---

[41] Subgroup ID Column(또는 일정한 Subgroup Size) 또는 Historical Sigma 를 지정하지 않으면 JMP 는 Subgroup Size 가 2 인 Average Moving Range 로 within Sigma 를 계산한다.

아래와 같이 기본적인 통계량과 **Within Sigma** 및 **Overall Sigma** 를 기준으로 한 공정 능력 분석 결과와 **부적합(Nonconformance)**에 대한 정보가 표시된다.

[그림 14.4]

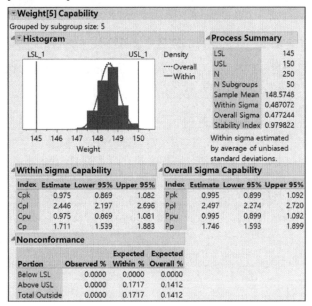

[그림 14.4]의 내용을 좀 더 살펴보자.

먼저 Histogram 에는 Histogram, 적합된 분포선이 표시되어 있으며 ▼**Histogram / Show count axis** 및 **Show count axis** 를 클릭하여 축의 정보를 추가할 수 있다.

[그림 14.5]

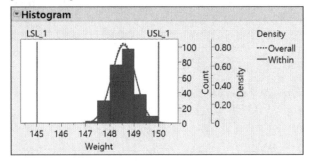

Process Summary 에는 입력된 LSL, USL 등과 함께 데이터의 평균, Within Sigma, Overall Sigma 및 하단에 Within Sigma 추정 방식이 표시된다. **Stability Index(안정성 지수)**는 Within Sigma 와 Overall Sigma 의 비율(Overall Sigma / Within Sigma)로 계산된다.

Within Sigma Capability(군내 표준편차 공정 능력) 및 **Overall Sigma Capability(전체 표준편차 공정 능력)**에는 각각 Within Sigma, Overall Sigma 를 사용하여 계산한 공정 능력 지수의 추정값과 신뢰 구간이 표시된다. 실무에서 많이 활용되는 공정 능력 지수 권고값 중의 하나는 Ppk 1.5 인 데, 이는 6 Sigma 혁신 활동에서 강조했던 3.4 ppm 수준의 부적합품을 뜻한다.

경우에 따라서는 **Z Benchmark** 를 공정 능력 지수로 활용하기도 하는 데, **▼Weight Capability / capability indices** 에서 **within** 또는 **overall Z Benchmark** 를 추가하면 된다.

[그림 14.6]

Overall Sigma Z Benchmark

Index	Estimate
Z Bench	2.986
Z LSL	7.491
Z USL	2.986

마지막 **Nonconformance** 부분에는 Spec 대비한 **실제 부적합품 비율 (Observed%)**과 **Within Sigma** 및 **Overall Sigma** 각각의 경우에 추정 불량률이 표시된다. 제목 부분에서 우측 마우스 클릭, **Columns** 에서 **PPM** 등의 통계량을 추가할 수 있다.

[그림 14.7]

Nonconformance

Portion	Observed %	Expected Within %	Expected Overall %	Expected Within PPM	Expected Overall PPM
Below LSL	0.0000	0.0000	0.0000	1.0726e-7	3.4288e-8
Above USL	0.0000	0.1717	0.1412	1716.7412	1412.0615
Total Outside	0.0000	0.1717	0.1412	1716.7412	1412.0615

⑪ 만약 Purity 변수처럼 단측 Spec 만을 가진 변수로 공정 능력 분석을 하게
되면 표시되는 내용은 다음과 같다. Cpu, Cpl 중에서 단측 Spec 이 있는
쪽의 지수만 표시되고 그 값이 Cpk 가 된다.

[그림 14.8]

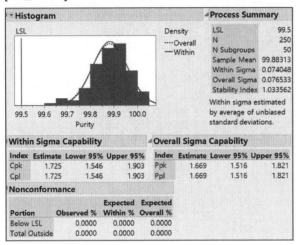

2. 공정 능력의 개선

공정 능력을 계산하는 이유는 단순히 Cpk, Ppk 와 같은 공정 능력 지수의
값이 얼마인지를 알아보는 데에 있는 것이 아니라 이를 개선하는 데에 있을
것이다. [그림 14.4]의 내용을 보면 Ppk 가 0.995 이고 Overall Sigma 로 계산된
추정 부적합률이 0.14% 수준으로 아직 개선의 여지가 있으므로 무엇을
얼마만큼 개선해야 하는 지에 대한 정보를 미리 확인할 수 있다면 매우
유용할 것이다.

⑪ ▼Weight Capability / Interactive capability plot 기능을 활용할 수 있다.
공정 능력의 3 요소인 Spec, 평균, Sigma 값 중에서 하나 이상을 조정했을
때의 공정 능력의 변화를 파악할 수 있는 데 예를 들어 평균값을 현재의
148.57 에서 148 로 이동하게 되면 Ppk 값이 0.995 에서 1.397 로 개선됨을

알 수 있다. 이러한 기능을 이용하여 개선의 대상과 방향, 정도를 미리 가늠해 볼 수 있을 것이다. 이 기능은 정규 분포일 때만 활용 가능하다.

[그림 14.9]

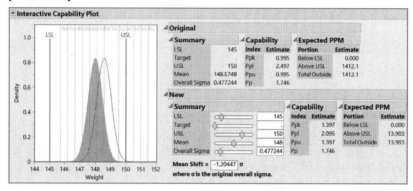

3. 정규성 검정(Normality Test)

연속형 변수일 경우 해당 데이터가 정규 분포하는 지를 검정하는 것을 정규성 검정(Normality Test)이라 하는 데 정규성 검정과 더불어 어떤 분포에 보다 적합한 지를 판정하는 분포 적합도에 대해 함께 알아보자.

☞ **Weight** 변수에서 ▼**height / Continuous Fit / Fit all**을 선택한다. 아래의 결과에서는 **AICc** 또는 **BIC** 값이 가장 작은 Weibull 분포가 해당 데이터에 가장 적합함을 나타낸다.

[그림 14.10]

<table>
<tr><th colspan="7">Compare Distributions</th></tr>
<tr><th>Show</th><th>Distribution</th><th>AICc</th><th>AICc Weight</th><th>.2 .4 .6 .8</th><th>BIC</th><th>-2*LogLikelihood</th></tr>
<tr><td>☑</td><td>Lognormal</td><td>342.58859</td><td>0.3951</td><td></td><td>349.58293</td><td>338.54001</td></tr>
<tr><td>☐</td><td>Normal</td><td>342.65388</td><td>0.3824</td><td></td><td>349.64822</td><td>338.6053</td></tr>
<tr><td>☐</td><td>Student's t</td><td>344.70089</td><td>0.1374</td><td></td><td>355.16771</td><td>338.60333</td></tr>
<tr><td>☐</td><td>SHASH</td><td>346.49703</td><td>0.056</td><td></td><td>360.4196</td><td>338.33376</td></tr>
<tr><td>☐</td><td>Johnson Su</td><td>349.29424</td><td>0.0138</td><td></td><td>363.21681</td><td>341.13097</td></tr>
<tr><td>☐</td><td>Normal 2 Mixture</td><td>349.7083</td><td>0.0112</td><td></td><td>367.0697</td><td>339.46239</td></tr>
<tr><td>☐</td><td>Normal 3 Mixture</td><td>351.73794</td><td>0.0041</td><td></td><td>379.31212</td><td>335.14043</td></tr>
<tr><td>☐</td><td>Weibull</td><td>385.52848</td><td>0</td><td></td><td>392.52282</td><td>381.4799</td></tr>
</table>

☞ 해당 데이터가 정규 분포하는 지 여부에 대한 정규성 검정(Normality

Test)에 대해 살펴보자. **▼Weight / Continuous Fit / Fit Normal**을 선택하거나 또는 위의 [그림 14.10] **Compare Distributions**에서 **Normal**을 선택하면 Histogram에 정규 분포 곡선이 표시되고 **Fitted Normal Distribution** 결과가 나타난다.

[그림 14.11]

Fitted Normal Distribution				
Parameter	Estimate	Std Error	Lower 95%	Upper 95%
Location μ	148.57483	0.0301835	148.51538	148.63427
Dispersion σ	0.4772437	0.0214073	0.4387559	0.5231908
Measures				
-2*LogLikelihood	338.6053			
AICc	342.65388			
BIC	349.64822			

☞ 정규성 검정을 하기 위해서는 **▼Fitted Normal Distribution / Goodness of Fit(적합도 검정)**을 선택하면 된다. 보통은 **Anderson-Darling Test**[42] 의 P Value 값을 기준으로 정규성에 대해 판단한다. 여기서는 그 값이 0.95로 정규 분포가 아니라는 대립 가설을 채택할 수 없다고 결론을 내릴 수 있다. JMP에서는 데이터 개수가 2,000개 이하일 경우에는 **Shapiro-Wilk Test** 결과도 함께 보여준다. Sample Size가 작을 때(보통 수십 개 이하)는 Shapiro-Wilk Test가 보다 강력하다(보수적으로 판단한다는 뜻)고 알려져 있다. Anderson Darling Test의 결과보다 P Value가 더 작게 나와서 좀 더 보수적으로 판단한다는 뜻이다.

[그림 14.12]

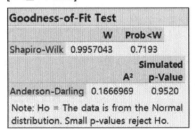

Goodness-of-Fit Test		
	W	Prob<W
Shapiro-Wilk	0.9957043	0.7193
	A²	Simulated p-Value
Anderson-Darling	0.1666969	0.9520
Note: Ho = The data is from the Normal distribution. Small p-values reject Ho.		

---

[42] 이 값은 시뮬레이션을 통해 구한 값이므로 실행 시마다 값이 조금씩 다를 수 있다. 이에 대한 상세한 사항은 아래 링크를 참조하길 바란다.
https://blog.naver.com/discoveringjmp/222875267678

181

🖐 정규성 검정 결과에서 ▼**Fitted Normal Distribution / Profilers** 아래에 보면 **Distribution Profiler, Quantile Profiler**가 있다.
이 중 **Distribution Profiler**는 X 인자의 값 변화에 대한 확률을 보여준다.

[그림 14.13]

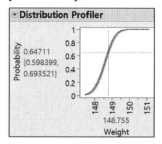

Quantile Profiler는 **Distribution Profiler**에서 X, Y 축이 바뀐 그래프이다.

[14.14]

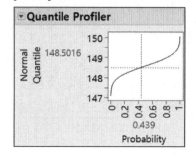

🖐 Purity 변수의 경우 우측으로 약간 기울어진 분포를 보이는 데, 정규성 검정을 하면 결과는 다음과 같다. 유의 수준 5% 보다 P Value가 작으므로 정규 분포한다고 보기 어렵다.

[그림 14.15]

Goodness-of-Fit Test		
	W	Prob<W
Shapiro-Wilk	0.959286	<.0001*
		Simulated
	A²	p-Value
Anderson-Darling	1.7499668	0.0008*
Note: Ho = The data is from the Normal distribution. Small p-values reject Ho.		

4. 공차 구간(Tolerance Interval)의 확인

측정 데이터가 있을 경우 향후 Spec 설정을 위하여 공차 구간(Tolerance Interval, 또는 허용 구간)을 확인할 경우가 종종 있다. 공차 구간이란 해당 비율만큼의 데이터가 존재할 최소 구간, 즉 그 만큼의 데이터가 밀집된 구간을 뜻한다. 공차 구간은 신뢰 구간과는 의미가 조금 다르다.

통계에서 모집단(population)의 특성인 모수(parameter)를 추정(estimation)하는 방법에는 점 추정(point estimation)과 구간 추정(interval estimation)이 있는 데, 신뢰 구간(confidence interval)은 모수 추정을 위한 구간 추정의 결과라 할 수 있다.

반면, 공차 구간은 모집단 전체에서 해당 비율(확률)을 포함하는 구간을 의미한다.

'Capability analysis.jmp' 데이터를 가지고 살펴보자.

🖱 Weight 변수에 대해 **Analyze / Distribution** 을 실행한 다음 ▼**Weight / Tolerance Interval** 을 클릭하여 아래와 같이 선택하였다면, 유의 수준 5%에서 정규 분포를 가정하여 모집단의 90%가 있을 구간을 확인한다는 뜻이 된다.

[그림 14.16]

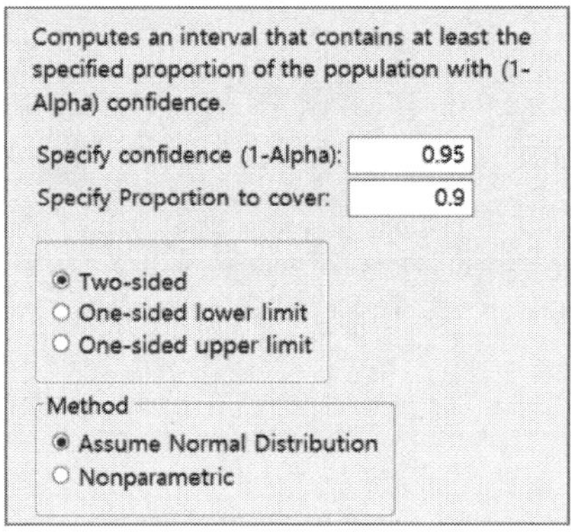

Computes an interval that contains at least the specified proportion of the population with (1-Alpha) confidence.

Specify confidence (1-Alpha): 0.95
Specify Proportion to cover: 0.9

◉ Two-sided
○ One-sided lower limit
○ One-sided upper limit

Method
◉ Assume Normal Distribution
○ Nonparametric

🖐 결과가 아래와 같다면 모집단의 90% 이상이 147.7252 ~ 149.4245 사이에 있음을 95% 신뢰할 수 있다라는 뜻이 된다. 공차 구간은 평균이나 표준 편차가 아니라 모집단의 지정된 비율에 대한 구간을 뜻하므로. 지정된 모비율에 대한 구간 추정값이라고도 할 수 있다.

[그림 14.17]

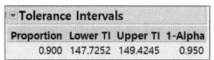

▾Tolerance Intervals			
Proportion	Lower TI	Upper TI	1-Alpha
0.900	147.7252	149.4245	0.950

이번에는 데이터가 정규 분포하지 않을 경우의 공차 구간 확인 방법에 대해 살펴보자. 'Capability analysis.jmp' 데이터에서 Purity 변수는 정규 분포하지 않는다. 이럴 경우 Purity 변수에 대해 **Analyze / Distribution** 을 실행한 다음 **▾Purity / Tolerance Interval** 을 클릭하여 **Method** 에서 **Nonparametric** 을 클릭한다.

[그림 14.18]

```
Computes an interval that contains at least the
specified proportion of the population with (1-
Alpha) confidence.

Specify confidence (1-Alpha):        0.95
Specify Proportion to cover:         0.9

 ◉ Two-sided
 ○ One-sided lower limit
 ○ One-sided upper limit

 Method
 ○ Assume Normal Distribution
 ◉ Nonparametric
```

🖐 결과가 아래와 같다면, 모집단의 90% 이상이 99.68951 ~ 100 사이에 있음을 96.91% 신뢰할 수 있다라는 뜻이 된다.

[그림 14.19]

▾Nonparametric Tolerance Intervals				
				Actual
Proportion	Lower TI	Upper TI	1-Alpha	Confidence
0.900	99.68951	100	0.950	0.9691

5. 공정 능력 분석을 위하여 필요한 습관

JMP 를 사용하여 공정 능력 분석을 할 경우에 습관화하면 좋은 몇 가지에 대해 알아보자.

🖑 **Header graph** 아이콘을 활성화하여 데이터 테이블에서 각 변수의 대략적인 모습, 분포를 미리 확인하는 게 좋다. Column Property 에 Spec 이 저장되어 있는 경우라면 아래와 같이 우측 마우스 클릭, **Open in Distribution** 을 클릭하면 **Analyze / Distribution** 기능을 활용한 공정 능력 분석 결과가 바로 출력된다.

[그림 14.20]

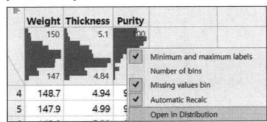

🖑 왜도(Skewness) 및 첨도(Kurtosis)에 관심을 가지는 게 필요하다. **Analyze / Distribution** 결과에서 ▼**Summary Statistics / Customize Summary Statistics** 메뉴를 이용하여 분석 Report 에 왜도와 첨도를 추가할 수도 있지만, 환경 설정(**File / Preference 에서 Platform / Distribution Summary Statistics**)에서 디폴트로 설정해 놓는 게 편리하다.

[그림 14.21]

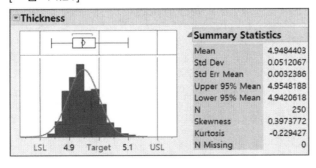

왜도(歪度, Skewness)와 **첨도(尖度, Kurtosis)**는 데이터가 정규 분포로부터 어느 정도 벗어나 있는 지를 살펴보는 척도이다.

왜도는 분포의 비대칭을 나타내며 왜도 값이 양의 값을 가지면(Positive Skewness), 데이터의 중심(평균)이 정규 분포보다 왼쪽으로 치우쳐져 있고(즉, 분포의 제일 높은 지점이 왼쪽에 있고), 꼬리는 오른쪽으로 길어지게 표현된다. 반면 왜도 값이 음의 값을 가지면(Negative Skewness), 데이터의 중심(평균)이 정규 분포보다 오른쪽으로 치우쳐져 있고(즉, 분포의 제일 높은 지점이 오른쪽에 있고), 꼬리는 왼쪽으로 길어지게 표현된다.
[그림 14.21]을 보면 Skewness 값이 0.397 이므로 왼쪽으로 약간 치우쳐져 있다(실무적으로는 Skewness 값의 절대값이 2 이상이면 치우침이 매우 심하다고 해석한다). 적합된 분포 선은 정규 분포선을 의미하는 데, 히스토그램을 보면 정규 분포선보다 왼쪽으로 다소 기울어져 있음을 확인할 수 있다.

반면 첨도는 정규 분포와 비교했을 때 어느 정도 더(또는 덜) 뾰족한 지를 나타낸다. 데이터가 완전히 정규 분포하면 첨도 값은 0 이 된다. 첨도 값이 양의 값을 가지면 데이터의 산포가 정규 분포일 때 보다 더 작다는 뜻이며(즉, 뾰족하다는 뜻이고), 첨도 값이 음의 값을 가지면, 데이터의 산포가 정규 분포일 때보다 더 크다는 뜻(즉, 분포의 모습이 퍼져 있음을 뜻한다)이 된다.
[그림 14.21]의 경우 첨도 값이 (-) 0.229 이므로 정규 분포보다 산포가 조금 넓다고 볼 수 있겠다. 첨도 값이 클수록 이상치(Outlier)가 많을 가능성이 크다.

☞ **Normal Quantile Plot** 을 통해 살펴보는 것도 유용하다. **Analyze / Distribution** 결과에서 ▼**변수명 / Normal Quantile Plot** 을 클릭하면 된다. 오른쪽 수직 축은 정규 분위수(normal quantile), 붉은 색 파선은

릴리포스(Lillifors) 신뢰 구간을 표현한다. 데이터가 붉은 대각선에 가까울수록 정규 분포함을 나타낸다.

[그림 14.23]

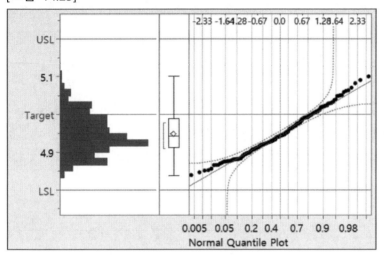

15 장. 여러 변수에 대한 공정 능력 분석

1. 기본적인 분석

Analyze / Distribution 메뉴는 하나의 변수 또는 개별 변수별로 공정 능력을 분석하고자 할 때 활용된다. 반면, 변수가 하나일 때 뿐만 아니라 여러 개일 경우에 한꺼번에 공정 능력 분석을 하면서 공정 능력 지수의 관점에서 각 변수를 비교하고 개선의 우선 순위와 방향성을 결정하기 위해서는 **Analyze / Quality and Process / Process Capability** 기능을 활용한다.

🖑 'Semiconductor Capability.jmp' 데이터를 활용하여 학습해 보자. 13 개 Lot 에서 8 가지 프로세스 특성을 측정한 데이터이다. 8 가지 프로세스 특성은 **Column Property** 에 **Spec** 이 저장되어 있다. 해당 메뉴에 들어가서 8개의 프로세스 변수를 Y 로 선택하고 모든 Y 변수에 대해 Lot 를 기준으로 Subgroup 을 구분하기 위하여 오른쪽 8 개 Y 변수를 모두 선택한 상태에서 Select Columns 에서 Lot_id Column 을 선택, **Process Subgrouping** 에서 **Nest Subgroup ID Column** 을 클릭하고 OK 를 클릭하면 된다.

[그림 15.1]

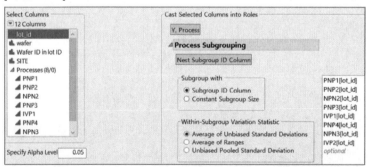

🖑 세 개의 그래프가 출력되는 데 **Goal Plot** 을 먼저 살펴보자.

X 축은 **(Spec-Standardized Mean)**으로 Spec 대비 표준화한 평균치의

이동 정도를 나타내고 Y 축 **(Spec-Standardized Std Dev)**은 Spec 대비 표준화한 표준편차를 뜻한다.

오른쪽 **Ppk Slider** 를 옮겨 가면서 각 변수의 평균치 이동과 산포(표준편차)의 크기를 서로 비교해 볼 수 있다. ▼**Goal Plot / Label Overall Sigma** 를 통해 Label 을 추가할 수 있고 **Points Defect Rate Contour** 기능을 활용하여 특정한 불량율에 해당하는 **Contour Line** 을 추가할 수 있다.

[그림 15.2]

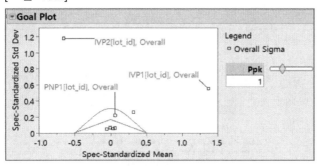

⚓ 특정한 변수에 대해 좀 더 상세한 정보를 알고자 한다면 해당 변수 라벨위에 마우스를 갖다 놓으면 **Hover Label** 기능을 활용하여 관리도가 디스플레이된다. 여기서는 Subgroup 을 고려하였기 때문에 **Xbar 관리도**가 표시되었고 Subgroup 을 고려하지 않았다면 **I(Individual) 관리도**가 표시된다.

[그림 15.3]

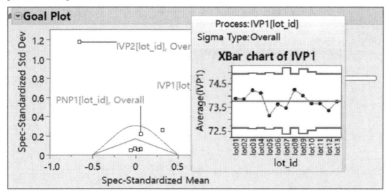

🖱 관리도 부분을 더블 클릭하면 **Control Chart Builder** 기능을 활용한 관리도와 공정 능력 분석 결과가 함께 나타난다. 지금의 경우는 Xbar-S 관리도가 디폴트로 출력되는 데, 만약 **Analyze / Quality and Process / Process Capability** 실행 화면([그림 15.1] 참조)의 **Within-Subgroup Variation Statistic** 에서 **Average of Ranges** 를 선택하였다면 Xbar-R 관리도가 출력된다.

[그림 15.4]

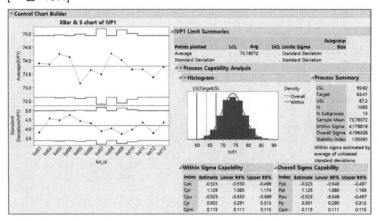

🖱 두 번째 그래프인 **Capability Box plot** 은 변수간 공정 능력 비교를 위해 표준화한 것으로 연두색 점선은 표준화된 Spec 을 나타낸다. 각 변수의 평균치의 이동과 산포의 정도를 쉽게 비교해 볼 수 있다.

[그림 15.5]

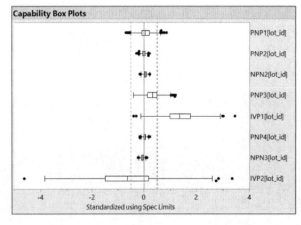

🖑 **Capability Index Plot** 은 각 변수별 Ppk 값을 비교한 것이다. 옵션을 활용하여 Ppk 값을 Cpk 값으로 변경하거나 라벨링을 할 수 있다. **Goal Plot** 과 마찬가지로 **Hover Label** 기능을 활용할 수 있다.

[그림 15.6]

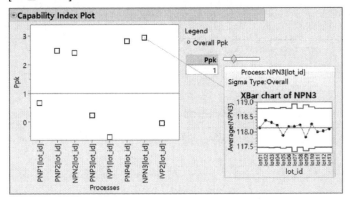

🖑 **▼Process Capability / Process Performance Graph** 를 클릭하여 각 변수를 Stability Index 및 Ppk 기준으로 비교를 할 수 있다. 여기서 **Stability Index(안정성 지수)** 는 **Overall Sigma** 를 **Within Sigma** 로 나눈 값이다. 안정성(Stability)과 공정 능력(Capability)의 관점에서 비교하여 개선의 우선 순위를 정할 때 많이 활용되는 그래프이다.

[그림 15.7]

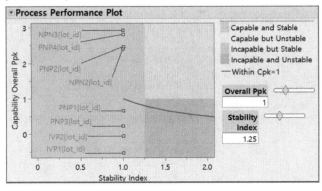

🖑 **▼Process Capability / Summary Report (Within 또는 Overall)** 를 이용하여 공정 능력의 관점에서 각 변수별 통계량을 요약해 볼 수 있다.

191

[그림 15.8]

Overall Sigma Capability Summary Report

Process	LSL	Target	USL	Sample Mean	Overall Sigma	Stability Index	Ppk	Ppl	Ppu	Pp
PNP1[lot_id]	164.39	297.02	429.65	313.0697	58.35353	1.001666	0.666	0.849	0.666	0.758
PNP2[lot_id]	-136.12	465.44	1067.01	456.6157	79.82589	1.004649	2.475	2.475	2.549	2.512
NPN2[lot_id]	96.59	113.75	130.9	115.7421	2.100786	0.997266	2.405	3.039	2.405	2.722
PNP3[lot_id]	118.68	130.29	141.9	137.6146	6.060762	0.99756	0.236	1.041	0.236	0.639
IVP1[lot_id]	59.62	63.41	67.2	73.78072	4.196326	1.00395	-0.523	1.125	-0.523	0.301
PNP4[lot_id]	-54.43	238.74	531.91	256.3756	32.60738	1.000981	2.817	3.177	2.817	2.997
NPN3[lot_id]	97.32	120.8	144.29	118.1352	2.364757	0.997785	2.934	2.934	3.687	3.310
IVP2[lot_id]	139.2	142.31	145.41	138.2432	7.327164	1.000383	-0.044	-0.044	0.326	0.141

🖰 **Process Capability / Out of Spec Values / Color Out of Spec Values** 를 선택하면 데이터 테이블에서 Spec Over 된 데이터가 LSL 보다 작거나 USL 보다 큰 데이터로 구분되어 별도의 Color 로 표시된다.

[그림 15.9]

	PNP3	IVP1	PNP4	NPN3	IVP2
1 ..	130.378...	73.4842941	262.351...	119.478...	139.588...
2 ..	132.736...	75.6074915	269.950...	122.254...	144.633...
3 ..	136.831...	73.3304733	273.273...	120.033...	136.369...
4 ..	136.969...	75.7647427	236.935...	116.970...	146.477...
5 ..	136.622...	70.5460962	244.380...	116.214...	132.328...

🖰 개별 변수별로 세부적인 공정 능력 분석 결과를 보고자 한다면 ▼**Process Capability / Individual Detail Reports** 를 클릭하면 된다. **Analyze / Distribution** 에서의 공정 능력 분석 결과와 동일한 내용이 출력된다.

[그림 15.10]

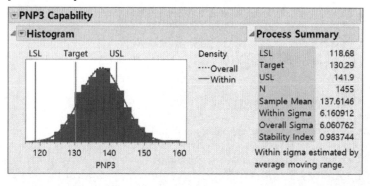

[그림 15.10]은 PNP3 변수에 대한 ▼Process Capability / Individual Detail **Reports** 실행 결과 중 일부인 데, 여기에서 소위 'What-if' 분석이라 불리는 공정 능력 지수의 3 요소(평균, 표준 편차 및 Spec) 중에서 어떤 요소를 얼마만큼 변경하면 목표로 하는 공정 능력을 달성할 수 있는 지를 시뮬레이션 해 보고자 한다면 [그림 14.9]에서 살펴본 것처럼 ▼PNP3 **Capability / Interactive Capability Plot** 기능을 활용하면 된다.

[그림 15.11]

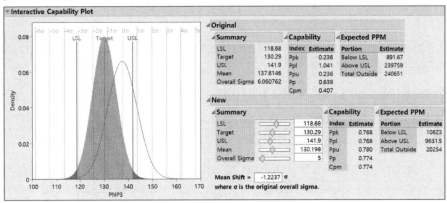

2. 가장 적합한 분포에 대한 식별

앞에서 설명한 내용은 해당 변수가 정규 분포를 한다는 것을 전제로 한 것인데 정규 분포가 아니라면 특히 각각의 변수가 다른 분포일 때 공정 능력 분석을 어떻게 하면 될까? 다행히 JMP 에는 각 변수별로 가장 적합한 분포를 기준으로 공정 능력 분석을 할 수 있는 기능이 있다.

'process measurements.jmp' 데이터를 가지고 살펴보자.

🐾 먼저 **Analyze / Distribution** 에 들어가서 모든 변수를 선택, **Histogram Only** 를 체크하여 각 변수의 Histogram 을 살펴보면 일부 변수는 왼쪽 또는 오른쪽으로 기울어져 있거나 정규 분포가 아닌 것으로 보인다.

[그림 15.10]

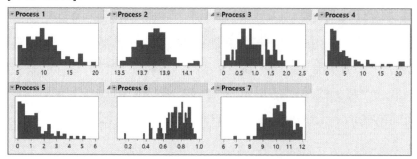

⟜ 공정 능력 분석을 하기 위해 **Analyze / Quality and Process / Process Capability** 에 들어가서 **'Distribution Options' Outline** 을 펼친 다음 **Distribution** 에서 **Best Fit** 을 선택하고 오른쪽의 7 개 변수를 모두 선택한 상태에서 **Set Process Distribution** 을 선택하면 오른쪽 표시 형태가 **Process 1&Dist(Best Fit)**과 같은 형식으로 변경된다.

-**Nonnormal Capability indices Method** : 정규 분포가 아닐 때 공정 능력 지수를 산출하는 방법에는 **ISO/Quantile 방법(Percentiles)**과 **Z-Score** 방법이 있다.

-**Johnson Distribution Fit Method** : Johnson 분포 적합 방법에는 분위수 매칭 방법과 최대우도법이 있다.

-**Distribution Comparison Criterion** : 분포 적합도를 판단하는 세 가지 기준이다.

[그림 15.11]

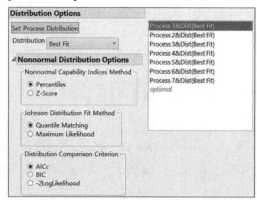

☞ 분석 결과를 보면 **Goal Plot** 과 **Capability Box Plot** 에는 정규 분포로 판단된 변수만 표시된다.

[그림 15.12]

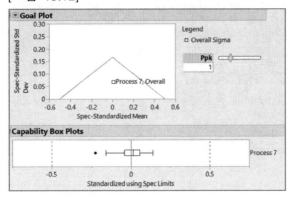

☞ 반면 **Capability Index Plot** 에는 각 변수별 최적 분포와 Ppk 값이 표시된다.

[그림 15.13]

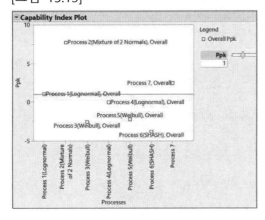

☞ 개별 변수별 상세 공정 능력을 하기 위해 ▼**Process Capability / Individual Detail Reports** 를 클릭하면 변수별로 가장 잘 적합되는 분포의 종류 및 그에 따른 공정 능력 분석 결과를 확인할 수 있다. 예를 들어 Process 1 변수의 경우 Lognormal 분포가 가장 잘 적합되는 것으로 분석되었고,

[그림 15.14]

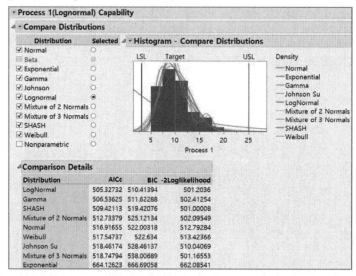

[그림 15.15]

⚙ Lognormal 분포 기준의 공정 능력 분석 결과는 다음과 같다.

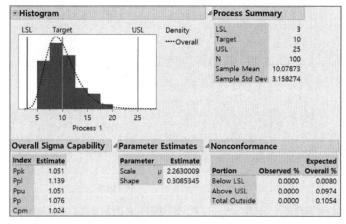

⚙ 만약 다른 분포(예를 들면 정규 분포)를 가정하여 공정 능력을 확인하고
싶으면 **Compare Distributions** 에서 정규 분포를 선택(Selected 부분
선택)하면 하단의 공정 능력 분석 결과가 정규 분포 기준으로 자동
변경된다.

정규 분포가 아니었던 변수를 정규 분포로 선택하면 **Goal Plot** 및 **Capability Box Plot** 에 그 결과가 자동으로 반영된다.

[그림 15.16]

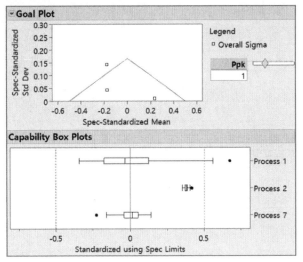

⚲ 가장 적합한 분포를 인식하는 기능은 **Analyze / Distribution** 에서도 **Process Capability Options** 부분에서 선택할 수 있다.

[그림 15.17]

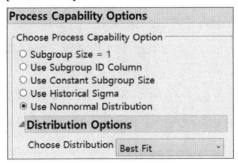

16 장. 공정 능력과 안정성 분석을 동시에

1. 관리도에서 공정 능력 분석

Sample Data 'Diameter.jmp'를 보면 40 일 동안 하루 6 회씩, 총 240 개의 측정 데이터가 있다.

[그림 16.1]

	DAY	DIAMETER	OPERATOR	MACHINE	Phase
	05-01-1998 05-02-1998 05-03-1998 05-04-1998 05-05-1998 35 others	5.33 3.42	RMM CMB MKS DRJ	A386 A455 C334	1 2
1	05-01-1998	3.98	DRJ	A386	1
2	05-01-1998	4.26	DRJ	A386	1
3	05-01-1998	4.62	DRJ	A386	1
4	05-01-1998	3.98	DRJ	A386	1
5	05-01-1998	4.64	DRJ	A386	1
6	05-01-1998	4.34	DRJ	A386	1
7	05-02-1998	3.73	CMB	A386	1

이와 같이 시간의 경과에 따른 데이터에 대해 공정 능력 분석을 하고자 할 경우에는 단순히 공정 능력만 파악하기 보다는 관리도 등을 통해 시간의 흐름에 따른 안정성(stability over time)을 함께 고려해야 하는 데 JMP 에서는 다음의 세 가지 메뉴에서 관리도와 공정 능력 분석을 동시에 수행할 수 있다.

1) **Analyze / Quality and Process / Control Chart Builder**

2) **Analyze / Quality and Process / Control Chart** 아래 몇 가지 하위 메뉴

3) **Analyze / Quality and Process / Legacy Control Chart** 아래 몇 가지 하위 메뉴

☝ 이 데이터를 가지고 **Analyze / Quality and Process / Control Chart Builder** 에서 Diameter 변수를 드래그하면 I-MR 관리도가 그려진다. 이 경우 **Within Sigma** 는 **average moving range** 를 이용하여 계산된다.

[그림 16.2]

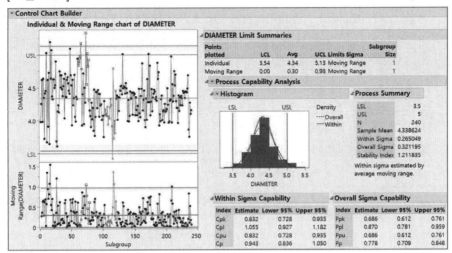

⚓ Day 변수를 **Subgroup** 에 드래그하면 Xbar-R 관리도가 그려진다. 이 경우 디폴트로 정해진 Within Sigma 계산 방식은 **average of ranges** 이다.

[그림 16.3]

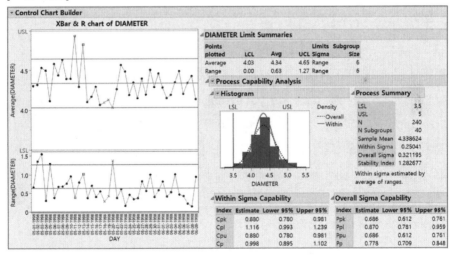

⚓ **Analyze / Quality and Process / Control Chart** 아래 몇 가지 하위 메뉴를 이용하여도 공정 능력 분석을 동시에 할 수 있다. 이 경우 분석 결과는 **Control Chart Builder** 와 동일하다. 반면 **Analyze / Quality and Process /**

Legacy Control Chart 아래 몇 가지 하위 메뉴는 조금 다른 방식이다. 예를 들어 **Analyze / Quality and Process / Legacy Control Chart / Xbar** 기능을 활용할 경우 **Capability** 부분을 선택해야 공정 능력 분석을 할 수 있다.

[그림 16.4]

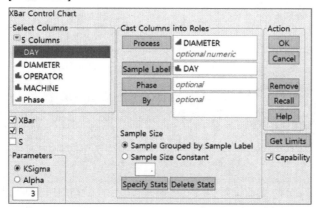

2. Process Screening

앞에서 관리도 메뉴에서 공정 능력 분석 결과를 동시에 살펴보는 것에 대해 학습하였다. Process Screening 기능(**Analyze / Quality and Process / Process Screening**)은 이러한 기능을 좀 더 확대하여 안정성과 공정 능력의 관점에서 많은 수의 변수를 대상으로 전체적인 모습을 쉽고 빠르게 조망(screen Many Processes for Stability and Capability)해 수 있는 기능이다.

'Semiconductor Capability.jmp' 데이터를 가지고 살펴보자.
- **Analyze / Quality and Process / Process Screening** 에서 8 개의 Process 변수를 선택하고 OK 를 클릭한다.

[그림 16.5]

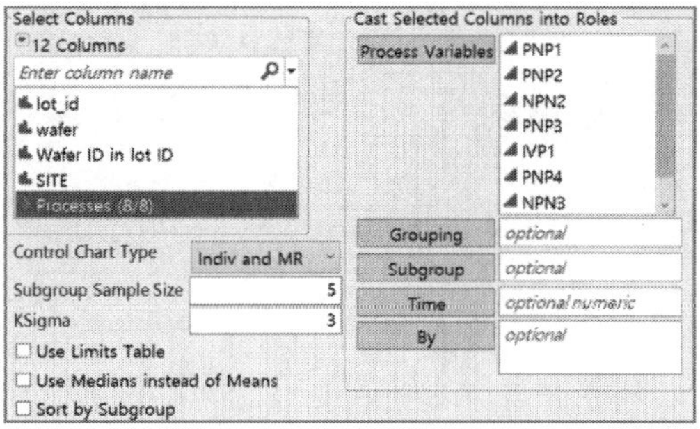

1 차적으로 출력되는 분석 결과는 다음과 같다.

[그림 16.6]

Process Screening

Indiv and MR

	Variability			Summary		Control Chart Alarms					Capability		
Column	Stability Index	Within Sigma	Overall Sigma	Mean	Count	Alarm Rate	Test1	Latest Alarm	Ppk	Cpk	Out of Spec Count	Out of Spec Rate	Latest Out of Spec
PNP2	1.01	79.2704	79.8259	456.616	1455	0.00412	6	16	2.475	2.492	0	0	.
NPN3	1.00	2.36285	2.36476	118.135	1455	0.00206	3	336	2.934	2.936	0	0	.
IVP1	0.99	4.2383	4.19633	73.7807	1455	0.00137	2	1128	-0.523	-0.518	1368	0.9402	1
IVP2	0.99	7.40652	7.32716	138.243	1455	0.00137	2	258	-0.044	-0.043	1034	0.7107	1
NPN2	0.99	2.13165	2.10079	115.742	1455	0.00137	2	834	2.405	2.370	0	0	.

분석 결과는 크게 변동성(Variability), 관리도 알람(Control Chart Alarms) 및 공정 능력(Capability)의 세 가지로 구성되어 있다(지금은 각 변수별로 Spec 이 입력되어 있는 데, 만약 Spec 이 입력되어 있지 않는 변수에 대해 이 기능을 실행하면 변동성과 관리도 알람 부분만 표시된다)

초기 화면은 **안정성 지수(Stability Index)** 기준으로 내림차 순으로 정렬되어 있으나 다른 통계량을 클릭하면 그 통계량의 오름차 순으로 다시 정렬할 수 있으며 클릭한 통계량 오른쪽의 Caret 표시(^, v)를 클릭하면 오름차순 또는 내림차순 정렬로 변경할 수 있다.

[그림 16.6]의 분석 결과에 표시되는 각각의 통계량에 대해 설명하면 다음과 같다.

1) **Stability Index(안정성 지수)** : (Overall Sigma / Within Sigma)

유사한 개념으로 안정성 비율(Stability Ratio)이 있다. 안정성 지수의 제곱(Overall Sigma/Within Sigma)^2 으로 계산되며. ▼**Process Screening / Show Summary Columns / Stability Ratio** 를 선택하여 추가할 수 있다

2) **Within Sigma** : 군내 표준편차

3) **Overall Sigma** : 전체 표준편차

4) **Summary(Mean)** : 산술평균

5) **Summary(Count)** : 데이터의 개수

6) **Alarm Rate** : 선택한 Test 기준에 해당되는 subgroup 의 수

7) **Test 1** : 관리도의 8 가지 이상원인 확인 기준이다. 여기서는 Western Electric Rule 중 첫 번째 기준이다.

8) **Latest Alarm** : 역순으로 Count 한 마지막 Alarm 이 있는 subgroup 의 위치

9) **Out of Spec Count** : Spec 벗어난 데이터의 개수

10) **Out of Spec Rate** : Spec 벗어난 데이터의 비율

11) **Latest out of Spec** : 역순으로 Count 한 마지막 out of spec 이 있는 subgroup 의 위치

☞ 분석 결과는 ▼**Process Screening** 의 옵션 선택을 통해 추가하거나 변경할 수 있다. ▼**Process Screening / Choose Tests** 를 통해 이상 원인 판단 기준을 추가할 수 있는 데, 만약 **Enable all tests** 를 선택하였다면 해당 부분의 출력 결과는 다음과 같다.

[그림 16.7]

					Control Chart Alarms						
Alarm Rate	Any Alarm	Test1	Test2	Test3	Test4	Test5	Test6	Test7	Test8	Range Limit Exceeded	Latest Alarm
0.01924	28	6	1	3	3	1	2	5	0	10	16
0.03024	44	3	1	11	6	5	7	5	0	9	4
0.02818	41	2	7	6	8	0	2	7	0	10	56
0.02680	39	2	7	6	2	3	8	2	0	9	6
0.02612	38	2	4	2	7	4	8	7	0	8	4
0.02474	36	5	3	2	1	2	6	11	0	7	16
0.03574	52	5	6	4	6	1	9	9	0	14	16
0.03024	44	5	5	2	11	1	8	4	0	11	16

여기서 **Range Limit Exceed** 는 R/S/MR 관리도에서 관리 상한을 벗어난

subgroup 의 수를 말한다.

🖐 공정 능력과 관련된 옵션은 ▼**Process Screening / Show Capability** 를 통해 추가하거나 변경할 수 있다.

[그림 16.8]

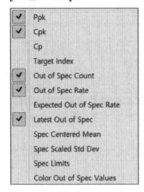

🖐 [그림 16.6]의 결과에서 우측 마우스 클릭, **Make Into Data Table** 을 선택하거나 ▼**Process Screening / Save Summary Table(with Graphs)**을 클릭하여 분석 결과를 표로 저장할 수 있다.

[그림 16.9]

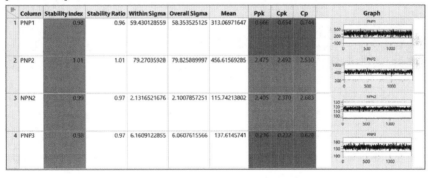

🖐 특정한 변수를 선택하고 ▼**Process Screening / Launch for selected / Control Charts Builder** 를 클릭하거나 분석 결과의 변수명 위에서 우측 마우스 클릭, **Control Charts for Selected Items** 를 선택하면 해당 변수에

대한 관리도가 표시된다. **Control Chart Builder** 의 분석 결과이다.

🖑 특정한 변수를 선택하고 ▼**Process Screening / Launch for selected / Process Capability** 를 클릭하거나 분석 결과의 변수명 위에서 우측 마우스 클릭, **Process Capability for Selected Items** 를 선택하면 해당 변수에 대한 공정 능력 분석 결과가 표시된다. **Analyze / Quality and Process / Process Capability** 의 분석 결과이다.

🖑 **Local Data Filter** 기능을 활용할 수도 있다. 예를 들어 Lot 별, Wafer 별로 분석 결과를 보고자 한다면 ▼**Process Screening / Local Data Filter** 기능을 활용하면 된다.
또한, Data Filter 기능 설정 후 각 변수명 위에서 우측 마우스 클릭하여 Filter 조건에 해당되는 Data 만을 대상으로 하여 상세한 관리도나 공정 능력 분석 결과를 확인해 볼 수 있다.

[그림 16.10]

Column	Stability Index	Within Sigma	Overall Sigma	Mean	Count	Alarm Rate	Test1	Latest Alarm	Ppk	Cpk
PNP3	1.01	5.87378	5.90626	137.867	175	0.00000	0		0.226	0.228
PNP2	0.98	86.5226	84.9171	453.273	175	0.00571	1	46	2.314	2.271
PNP1	0.97	64.9114	63.1865	312.155	175	0.01143	2	113	0.620	0.603
PNP4	0.97	36.5383	35.3871	256.057	175	0.00571	1	124	2.598	2.517
IVP1	0.95	4.37432	4.17142	74.0637	175	0.00000	0	.	-0.548	-0.523
NPN3	0.95	2.34444	2.23121	118.151	175	0.00000	0	.	3.112	2.962
NPN2	0.92	2.33084	2.14075	115.674	175	0.00000	0	.	2.371	2.178
IVP2	0.91	8.5056	7.73888	138.624	175	0.00000	0	.	-0.025	-0.023

🖑 ▼**Process Screening / Process Performance Graph** 를 통해 안정성(Stability)과 공정 능력(Capability)의 관점에서 비교하여 개선의 우선순위를 정할 수 있다. 일반적으로 **Stability Index(안정성 지수)**가 1.25 를 초과하면 공정이 불안정하다고 보고 Ppk 가 1.33 보다 작으면 공정 능력이 낮다고 판단한다.

[그림 16.11]

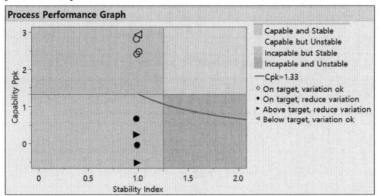

여기서 **Target Index(목표 지수)**는 **3*(Cp-Cpk)**로 계산되며 데이터의 평균과 목표값 사이에 들어갈 수 있는 **within Sigma** 의 개수를 뜻한다. 1 보다 크면 평균치의 이동이 크다고 볼 수 있고 0.5 보다 작으면 안정적인 것으로 볼 수 있다. Target Index 는 [그림 16.8]에서 설명된 옵션 선택을 통해 분석 결과에 포함할 수 있다.

[그림 16.12]

Ppk	Cpk	Cp	Target Index
2.475	2.492	2.530	0.111
2.934	2.936	3.313	1.128
-0.523	-0.518	0.298	2.447
-0.044	-0.043	0.140	0.549
2.405	2.370	2.683	0.935
0.236	0.232	0.628	1.189
0.666	0.654	0.744	0.270
2.817	2.764	2.941	0.531

✍ **Process Performance Graph** 에 표시되는 그래프 표식은 다음과 같은 의미를 지닌다.

[그림 16.13]

그래프 표식	Target Index	Cp
○	목표 부합(On Target)	변동 양호(variation ok)
●	목표 부합(On Target)	변동 감소 필요(reduce variation)
▷	목표 초과(Above Target)	변동 양호(variation ok)
▶	목표 초과(Above Target)	변동 감소 필요(reduce variation)
◁	목표 미달(Below Target)	변동 양호(variation ok)
◀	목표 미달(Below Target)	변동 감소 필요(reduce variation)

▼**Process Screening / Chart Settings** 기능을 통해 표시할 수 있는 여러 Charts 의 표시 형식을 사용자 임의대로 조정할 수 있는 데,
[그림 16.14]

Option	Charts as Selected	Charts for Selected	Graphlet Charts	Drift Charts
Dispersion Chart	☐	☐	☐	
Show Markers	☑	☐	☐	☐
Connect Points	☑	☑	☑	☑
Show Control Limits	☑	☑	☑	☑
Show Centerline	☑	☐	☐	☐
Show Zones	☐	☐	☐	
Circle Alarm Points	☑	☐	☐	
Vertical Axis Label	☑	☐	☐	☐
Show Spec Limits	☐	☐	☐	☐
Number of Plots Across	1	4		2
Frame Size...	500	210	210	480
	170	55	55	100

☝ 예를 들어 **Graphlet Charts(Graphlet Chart** 는 **Process Performance Graph** 에서 **Hover Label** 기능이 적용되어 표시된다)에서 **Dispersion Chart**, **Show Zones** 등을 선택하면 아래와 같이 표시된다.
[그림 16.15]

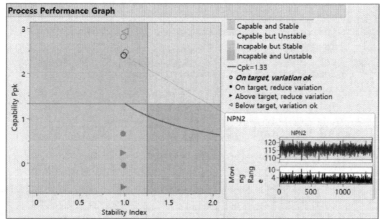

17. 실무 활용을 위한 몇 가지 토픽

이번 장에서는 공정 능력 분석의 실무 활용과 관련하여 다음의 세 가지 토픽에 대해 살펴보고자 한다.
1) Subgroup Size, 공정 능력과 관리도
2) 프로세스의 안정성과 공정 능력
3) 감지 한계가 있을 경우의 공정 능력 분석

1. Subgroup Size, 공정 능력과 관리도

이번에는 Subgroup Size 와 공정 능력 그리고 관리도의 관련성에 대해 좀 더 실제적인 내용으로 살펴보자.

Sample Data 'Subgroup Size.jmp'는 Glass 평탄도(Spec 94 ~ 160)의 안정성과 공정 능력을 파악하기 위해 100 개의 Glass 에 대해 Glass 별 세 포인트를 측정한 300 개의 데이터가 있다. 공정 능력 분석을 위해 Subgroup Size 를 몇 개(3 ?, 100 ?, 300 ?)로 하는 것이 적절한 것인가에 대해 검토중인 시점이라 가정하자.

[그림 17.1]

	Glass No.	Point	Data	
1		Point 1		111
2		Point 2		
3		Point 3		
4				
5				
95 others				82.6
1	1	Point 1	99.9457	
2	1	Point 2	101.7762	
3	1	Point 3	100.7375	
4	2	Point 1	93.8698	

데이터 전체의 산포를 감안할 경우, 이 때의 공정 능력은 군내 및 군간을 구분하는 Subgroup 과 무관하므로 이 때는 **Cp**, **Cpk** 가 아니라 **Pp**, **Ppk** 를

사용해야 한다. Subgroup size 를 달리함에 따라 **Cp**, **Cpk** 의 값은 달라지지만 **Pp**, **Ppk** 값은 달라지지 않는다. 공정 능력(Process Capability)이란 공정이 어떤 특성의 규격(Spec)을 만족하는 제품을 생산해낼 수 있는 정도를 그 특성의 산포를 이용해 통계적 지표로 표시한 것이라고 정의할 수 있는 데, 제조 공정에 관리도를 적용하면서 공정 능력 평가를 한다면 군내 산포에 근거한 **Cp**, **Cpk** 로 표현하는 것이 일반적이지만 때로는 전체 산포를 근거로 표현하는 것이 보다 타당한 경우도 있다. 예를 들면, 군내 산포가 군간 산포와 비슷한 정도로 큰 경우 또는 고객에게 최종 검사 결과를 바탕으로 한 공정능력을 알리는 경우가 여기에 해당한다.

Subgroup 의 개념은 공정 능력 분석 개념이 발달하기 이전부터 관리도(특히 X-Bar R 로 대변되는 슈와르트 관리도)에서
1) 전체 변동(산포)을 군내 산포(Variation within Subgroup, 군내 변동)와 군간 산포(Variation between Subgroup, 군내 변동)로 구분하고
2) 군내 산포가 군간 산포에 비해 훨씬 크고, 전체 산포를 대표할 수 있다라는 전제하에 출발하였다.
3) 이러한 전제 조건을 바탕으로 관리도는 공정이 관리 상태(In Control)인지에 대한 안정성(Stability) 여부를 판정하는 목적으로 이용할 수 있으며,
4) 이러한 관리도의 이용 목적을 충족하기 위한 요건 중 하나가 합리적 부분군(Rational Subgrouping)이다. 합리적 부분군은 우연 원인에 의한 산포를 근거로 설정된 관리한계로 군간 산포에 의한 공정의 변화를 감지하는 것을 도와준다.
5) 이런 관리도가 적용되고 있는 공정에 대해, 군내 산포에 근거한 공정 능력 지수가 **Cp**, **Cpk** 이며 이는 군내 산포의 크기에 영향을 받고 군내 산포의 크기는 부분군 크기(Subgroup Size)에 따라 달라진다. Subgroup 개념으로 보면 총 Data 의 개수 = Subgroup Number(Subgroup 의 개수)*Subgroup Size(Subgroup 내의 Data 개수)이다. 그러므로 Subgroup 관점에서 고려하고자 한다면 여기서는 Point 별, Glass 별로 유의한 차이가 있는 지를 먼저 확인해 보아야 한다. 즉, Point 또는 Glass 가 Subgrouping 의 기준이 될 수 있는 지에

대한 확인이 필요하다.

☝ Point 별 차이에 대해서는 JMP 의 다양한 기능을 이용하여 확인해 볼 수
있는 데, 아래 몇 가지 분석 결과로 볼 때 Point 에 따라 Data 에 유의한
차이가 있는 것으로 추정된다.

[그림 17.2] Histogram in Graph Builder

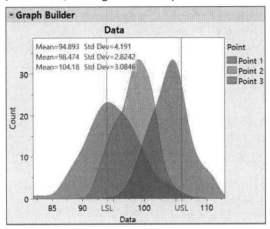

[그림 17.3] Boxplot in Graph Builder

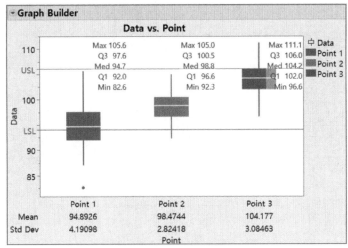

[그림 17.4] ANOVA

Analysis of Variance

Source	DF	Sum of Squares	Mean Square	F Ratio	Prob > F
Point	2	4384.7817	2192.39	187.6228	<.0001*
Error	297	3470.4738	11.69		
C. Total	299	7855.2554			

Means for Oneway Anova

Level	Number	Mean	Std Error	Lower 95%	Upper 95%
Point 1	100	94.893	0.34183	94.22	95.57
Point 2	100	98.474	0.34183	97.80	99.15
Point 3	100	104.177	0.34183	103.50	104.85

Std Error uses a pooled estimate of error variance

🖐 아래의 두 가지 그래프로는 Glass 별 차이가 명확하게 보이지 않는다. 특히 군내 평균의 변동을 주로 고려하는 Xbar-R 관리도의 경우에도 그러하다.

[그림 17.5] Boxplot in Graph Builder

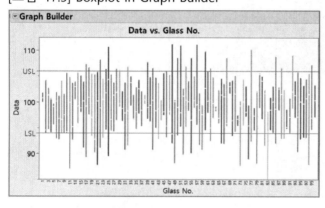

[그림 17.6] Xbar-R 관리도

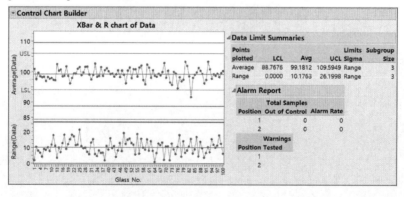

🖐 아래 두 가지 그래프로 추가 확인해 보면 Glass 별 차이는 크지 않고 Point 별 차이가 크다는 것을 알 수 있다.

[그림 17.7] I-MR Chart by Point

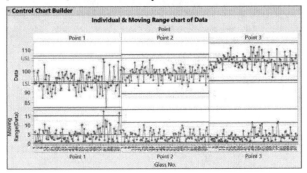

[그림 17.8] Line and Smoother Line in Graph Builder

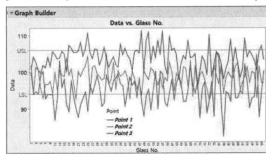

ANOVA, 관리도, 공정 능력 등의 분석을 위해서는 데이터가 정규 분포하여야 된다는 전제가 필요하다. 여기서는 전체 데이터에 대해서 뿐만 아니라 Point 별 데이터에 대해서도 정규 분포에 대한 검정이 필요하다. 세 Point 별 데이터가 통계적으로는 모두 정규 분포하지 않는다고 말할 수는 없지만, Point 2 의 데이터가 정규성 검정 결과 및 왜도(Skewness), 첨도(Kurtosis) 등의 측면에서 나머지 두 포인트와 조금 다른 경향을 보이고 있다고 할 수 있다.

[그림 17.9] 정규성 검정(Anderson Darling)

	Point	Distribution	Column 1	A²	Simulated p-Value
1	Point 1	Normal	Anderson-Darling	0.1481105989	0.9772
2	Point 2	Normal	Anderson-Darling	0.5092340753	0.2072
3	Point 3	Normal	Anderson-Darling	0.2233722065	0.8136

[그림 17.10] Histogram 과 왜도, 첨도

Distributions Point=Point 1	
Data	Summary Statistics
	Mean 94.892569
	Std Dev 4.1909796
	N 100
	Skewness 0.0634766
	Kurtosis 0.1687141
	N Missing 0

Distributions Point=Point 2	
Data	Summary Statistics
	Mean 98.474388
	Std Dev 2.8241828
	N 100
	Skewness -0.197383
	Kurtosis -0.503054
	N Missing 0

Distributions Point=Point 3	
Data	Summary Statistics
	Mean 104.17679
	Std Dev 3.0846348
	N 100
	Skewness 0.0855391
	Kurtosis -0.139429
	N Missing 0

여기까지 살펴본 것을 정리하면

1) 데이터 전체의 산포를 표현하기 위한 공정 능력 지수로는 Cp, Cpk 가 아니라 Pp, Ppk 를 사용해야 한다.

2) 전체 산포를 군내/군간 산포로 구분하는 Subgroup 의 관점에서 보면, 데이터의 의미 있는 차이를 만드는 그 Subgroup(여기서는 Point)별 차이의 원인에 대한 검토 및 개선이 우선시된다.

3) 이 데이터를 가지고 Subgroup size 에 따른 공정 능력 분석 결과를 요약하면 아래와 같다. 앞에서 설명한 대로 데이터 전체의 공정 능력을 대변하는 **Ppk, StdDev(overall)**은 Subgroup Size 와 무관하다. 일반적으로는 군내 산포(군간 변동)보다 전체 산포(총 변동)가 더 커서 **Cp** 또는 **Cpk** 보다

Pp, **Ppk** 값이 더 작지만 경우에 따라서는 **Pp**, **Ppk** 값이 더 클 수도 있다. 아래의 표는 Within Sigma 계산 방법으로 **Unbiased pooled standard deviation** 방법을 사용한 결과이다.

[그림 17.11]

Subgroup Size	Cpk	StDev(within)	Ppk	StDev(overall)
3	0.297	5.810569	0.337	5.125598
100	0.336	5.142831	0.337	5.125598
300	0.337	5.129886	0.337	5.125598

2. 프로세스의 안정성과 공정 능력

이번에는 프로세스가 안정적(stable)일 때와 불안정(unstable)할 때의 공정 능력 분석 결과를 비교해 보고자 한다.

'Clips2.jmp' 데이터는 Subgroup Size 가 5 인 22 개의 Subgroup, 총 110 개의 데이터가 있고 이 중 연속된 두 Subgroup 에 걸쳐서 6 개의 결측치(missing value)가 있다.

[그림 17.12]

	Date	Gap
1	04-01-1986	14.93
2	04-01-1986	14.65
3	04-01-1986	14.87
4	04-01-1986	15.11
5	04-01-1986	15.18
6	04-02-1986	15.06

☞ **Control Chart Builder** 에 들어가서 Gap 을 **Y** 에, Date 를 Subgroup 에 드래그한다. 관리한계선을 이탈하여 타점된 것도 없고 특정한 상승, 하강 또는 경향이 없으므로 데이터는 안정적이라 할 수 있다.

[그림 17.13]

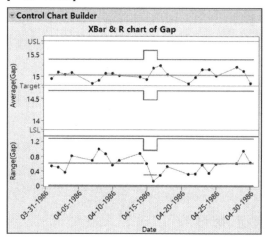

🖐 Gap 변수에 Spec 이 입력되어 있으므로 **Control Chart Builder** 를
실행하면 공정 능력 분석 결과가 함께 출력된다. 히스토그램과 적합된
분포 곡선은 Gap 데이터가 정규분포함을 나타낸다. **Within Sigma** 와
Overall Sigma 값이 크게 차이가 나지 않아 **Stability Index** 가 1 에
가까우므로 프로세스가 매우 안정적이라 할 수 있다. 반면, Gap 변수의
평균값은 USL 쪽으로 다소 치우쳐 있다.

[그림 17.14]

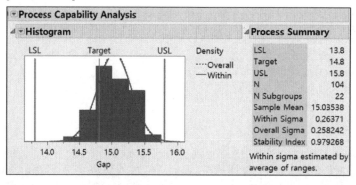

🖐 출력된 공정 능력 지수를 보면 안정성이 높으므로 Cp, Cpk 값과 Pp, Ppk
값은 서로 매우 유사하다. Cp (또는 Pp)와 Cpk(또는 Ppk)의 차이는
프로세스의 평균과 Target 값과의 차이를 의미한다. Cp 1.264 는 그 차이가

개선되었을 경우의 달성가능한 Cpk 값이라 할 수 있다. 지금의 경우 Cpk 값은 0.966 이지만 Cpk 값의 신뢰 구간은 0.805 ~ 1.128 이다. 신뢰 구간의 범위가 넓으므로 점추정된 Cpk 값만으로 잘못된 결론을 내려서는 안 된다. 부적합(Nonconformance) 보고서를 보면 Gap 변수의 평균값은 USL 쪽으로 다소 치우쳐 있는 관계로 대부분의 부적합은 USL 을 초과하는 부적합품이다.

[그림 17.15]

Within Sigma Capability				Overall Sigma Capability			
Index	Estimate	Lower 95%	Upper 95%	Index	Estimate	Lower 95%	Upper 95%
Cpk	0.966	0.805	1.128	Ppk	0.987	0.838	1.136
Cpl	1.562	1.314	1.808	Ppl	1.595	1.367	1.821
Cpu	0.966	0.805	1.127	Ppu	0.987	0.837	1.135
Cp	1.264	1.071	1.457	Pp	1.291	1.115	1.467
Cpm	0.943	0.828	1.058	Cpm	0.954	0.841	1.072

Nonconformance			
Portion	Observed %	Expected Within %	Expected Overall %
Below LSL	0.0000	0.0001	0.0001
Above USL	0.0000	0.1869	0.1534
Total Outside	0.0000	0.1870	0.1535

3. 감지 한계가 있을 경우의 공정 능력 분석

감지 한계(Detection Limit)는 측정 장비가 가능한 모든 범위의 값을 측정할 수 없으므로 일정 범위 이외에 측정 값에 대해 한계를 설정하는 기능을 말한다. 즉, 특정 한계값 이하 또는 이상을 벗어나는 값에 대해서는 측정될 수 없는 값으로 처리하는 기능이 감지 한계이다.

감지 한계는 **Column Property / Detection Limits** 에서 설정할 수 있다.

[그림 17.16]

Column Properties ▾	
Detection Limits	Detection Limits
	The Detection Limits column property defines bounds beyond which the response cannot be measured. You can use this property to specify a censored response in either the Distribution or Generalized Regression platform.
Remove	Lower Detection Limit [ ]
	Upper Detection Limit [ ]

감지 한계가 설정되어 있을 경우의 공정 능력 분석에 대해 살펴보자.
'impurity-detection limit.jmp' 데이터에서 첫 번째 변수를 제외하고 나머지 세
개 변수는 **각각 감지 하한치(Lower Detection Limit)**로 각각 1.0, 1.5, 2.0 이
설정되어 있다.

[그림 17.17]

	True Impurity	1.0 Limited Impurity	1.5 Limited Impurity	2.0 Limited Impurity
1	2.62	2.62	2.62	2.62
2	0.64	1.00	1.50	2.00
3	0.43	1.00	1.50	2.00
4	0.96	1.00	1.50	2.00

Analyze / Distribution 에서 확인해 보면 네 개 변수 모두 규격 상한치는
2.5 로 동일하지만 각각 다른 감지 한계가 설정되어 있음을 알 수 있다.

[그림 17.18]

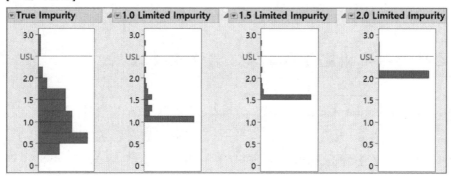

아래는 감지 한계가 설정된 데이터에 대한 JMP 의 공정 능력 분석과 관련된
설명이다.

1) 해당 데이터가 중도 절단된(Censored) 로그 정규(Lognormal) 분포로
인식된다. 항상 양의 값만 가지고 로그를 취하면 정규분포가 되는 개념이기
때문이다.

2) **Analyze / Distribution** 를 실행한 다음 ▼**Continuous Fit / Fit Lognormal**

실행하고 그 결과에서 ▼process capability 를 실행하면 된다[43].

[그림 17.19]

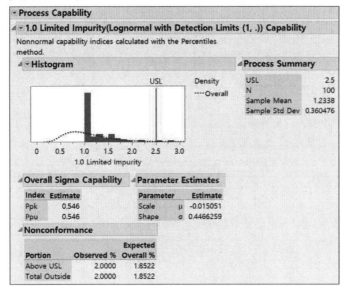

---

[43] Detection limit 기능은 Analyze / Distribution 에서만 유효하며 Analyze / Quality and Process / Process Capability 에서는 유효하지 않다(JMP17 Version 기준).

5 부. 사례 분석(Case Study)

1. JMP Script 를 활용한 공정 능력 분석 자동화

2. Bakery Shop 에 통계적 공정 관리 적용

3. 제약 회사의 통계적 공정 관리

1. JMP Script 를 활용한 공정 능력 분석 자동화

지금부터는 통계적 공정 관리와 관련하여 세 가지 사례에 대해 살펴볼 것이다. 첫 번째는 JMP Script 를 활용하여 공정 능력 분석 과정을 자동화하는 사례로 다음의 몇 가지 내용을 포함하고 있다.

1) 데이터 불러오기
2) 분석을 위한 데이터 전처리
3) 공정 능력 관점에서의 몇 가지 분석
4) Script 를 활용한 분석 과정의 자동화
5) Dashboard 및 관련 Add-in 의 활용

1. 데이터 불러오기

'Capability.xls' 데이터는 Parameter 별 공정 능력 분석을 위해 두 대의 장비 (Machine)로부터 측정한 데이터이다. 일 1 회 측정되었고 재료 변경 전후의 두 단계(Phase 1 과 Phase 2)로 구분되어 있고 총 8 개월치 데이터가 두 개의 Excel Sheet 에 입력되어 있다.

[그림 1]

No.	Date	Machine	Parameter	Phase
1	2023-01-01	SAS-L2064	3.98	1
2	2023-01-02	JMP-L1044	4.26	1
3	2023-01-03	SAS-L2056	4.62	1
4	2023-01-04	SAS-L2057	3.98	1
5	2023-01-05	SAS-L2038	4.64	1

1월~5월	6월~8월	(+)

☞ Excel 파일을 불러오기 위하여 **File / Open** 에서 해당 파일을 선택한다. Excel Sheet 와 JMP Data Table 의 구조가 다르므로 이를 조정하기 위한

Excel Import Wizard(엑셀 불러오기 마법사) 윈도우가 열린다.

두 개의 Worksheet 를 모두 불러오기 위하여 오른쪽 상단 Worksheets 부분에서 두 Sheet 를 모두 선택한다. 두 Sheet 의 같은 Column 명칭을 이용하여 하나의 JMP Data Table 로 합치기 위하여 **Concatenate worksheets and try to match columns** 를 선택하고 합칠 때 원래의 Sheet 이름을 기준으로 구분하기 위하여 **Create column with worksheet name when concatenating** 을 선택한다.

[그림 2]

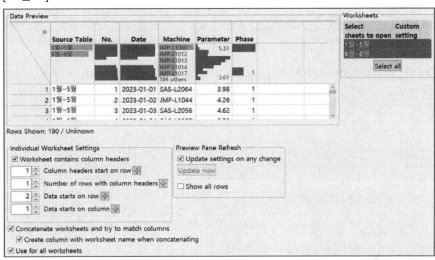

🖐 하단의 Import 버튼을 클릭하면 아래와 같이 총 241 개의 데이터가 불러와진다.

[그림 3]

	Source Table	No.	Date	Machine	Parameter	Phase
	1월~5월 6월~8월			JMP-L1017 JMP-L1018 JMP-L1019 JMP-L1020 JMP-L1021 105 others	5.33 3.61	1
1	1월~5월	1	2023-01-01	SAS-L2064	3.98	1
2	1월~5월	2	2023-01-02	JMP-L1044	4.26	1
3	1월~5월	3	2023-01-03	SAS-L2056	4.62	1

2. 분석을 위한 데이터 전처리

Parameter 별 공정 능력 분석을 위해 다음과 같은 몇 가지 데이터 전처리가
필요한 상황이라 가정하자.
1) No. 변수의 모델링 타입을 Ordinal(서열형, 순서형)로 변경하고 Phase
변수의 모델링 타입을 Nominal(명목형)로 변경
2) Date 변수에 대해 분석에 필요한 시간의 마디(여기서는 월, 요일) 기준으로
새로운 Column 을 생성
3) Machine 변수의 앞 세 글자(SAS 또는 JMP)가 장비를 뜻하는 데, 이를
나타내는 새로운 Column 생성(변수명 '장비')
4) 공정 능력 분석을 위해 Parameter 변수에 Spec(4~5) 입력

하나씩 살펴보자.

1) **No.** 변수의 모델링 타입을 **Ordinal** 로 변경하고 **Phase** 변수의 모델링
타입을 **Nominal** 로 변경
☞ 모델링 타입을 변경하기 위해서는 변수명 위에서 우측 마우스 클릭,
   Column info 에서 변경하면 된다.
   [그림 4]

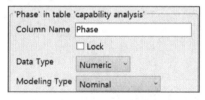

☞ 모델링 타입을 변경하면 **Column Panel** 의 변수명 왼쪽 아이콘 또는
   Header Graph 의 표현 방식이 변경된다[44].

---

[44] [그림 5]의 모습은 환경 설정(File / Preference 의 Tables)에서 Header Summary Graphs 에 대해
Summary Graph Colors 를 설정한 결과이다.

[그림 5]

	Source Table	No.	Date	Machine	Parameter	Phase
	1월~5월	1		JMP-L1017	5.33	2
	6월~8월	2		JMP-L1018		1
		3		JMP-L1019		
		4		JMP-L1020		
		5		JMP-L1021		
		236 ...		105 others	3.61	
1	1월~5월	1	2023-01-01	SAS-L2064	3.98	1
2	1월~5월	2	2023-01-02	JMP-L1044	4.26	1
3	1월~5월	3	2023-01-03	SAS-L2056	4.62	1

2) Date 변수에 대해 분석에 필요한 시간의 마디(여기서는 월, 요일) 기준으로 새로운 Column 을 생성

☞ **Custom Binning** 기능을 이용하여 필요로 하는 시간의 마디를 표현하는 새로운 Column 을 생성할 수 있다. Date 변수 위에서 우측 마우스 클릭, **New Formula Column / Date Time** 에서 **Month Abbr.** 및 **Day of Week Abbr.**을 선택한 결과는 다음과 같다.

[그림 6]

	Source Table	No.	Date	Day of Week	Month	Machine	Parameter	Phase
	1월~5월	1		Mon	Jan	JMP-L1017	5.33	2
	6월~8월	2		Tue	Mar	JMP-L1018		1
		3		Sun	May	JMP-L1019		
		4		Wed	Jul	JMP-L1020		
		237 ...		3 others	4 others	106 others	3.61	
1	1월~5월	1	2023-01-01	Sun	Jan	SAS-L2064	3.98	1
2	1월~5월	2	2023-01-02	Mon	Jan	JMP-L1044	4.26	1
3	1월~5월	3	2023-01-03	Tue	Jan	SAS-L2056	4.62	1

3) Machine 변수의 앞 세 글자(SAS 또는 JMP)가 장비 종류를 뜻하는 데, 이를 나타내는 새로운 Column 생성(변수명 '장비')
다음 두 가지 방법 중 하나를 선택하여 새로운 Column 을 만들 수 있다.

☞ 방법 1 : 새로운 Column 을 더블 클릭, **Column info** 에서 변수명을 '장비'로 한 다음, **Formula** 에 아래와 같이 작성한다. **If** 함수를 열어서 **Contains** 를 입력한다. Machine 변수에 JMP 가 포함되어 있으면 JMP, 그렇지 않으면 SAS 라는 명칭으로 새로운 Column 을 만든다는 뜻이다.

$$\text{If} \begin{cases} \text{Contains} \left(Machine, \text{"JMP"} \right) \Rightarrow \text{"JMP"} \\ else \qquad\qquad\qquad\quad \Rightarrow \text{"SAS"} \end{cases}$$

⌐ 방법 2 : Text 에서 왼쪽(left) 또는 오른쪽(right) 몇 개의 문자만 호출하는 **left**, **right** 함수를 사용할 수도 있다.

Left (*Machine* , 3)

⌐ 이렇게 하면 두 가지 장비명을 범주로 하는 새로운 변수가 만들어진다.

[그림 7]

Source Table	No.	Date	Day of Week	Month	Machine	Parameter	Phase	장비
1월~5월	1		Mon	Jan	JMP-L1017	5.33	2	JMP
6월~8월	2		Tue	Mar	JMP-L1018			SAS
	3		Sun	May	JMP-L1019			
	4		Wed	Jul	JMP-L1020			
	237 ...		3 others	4 others	106 others	3.61		
1 1월~5월	1	2023-01-01	Sun	Jan	SAS-L2064	3.98	1	SAS
2 1월~5월	2	2023-01-02	Mon	Jan	JMP-L1044	4.26	1	JMP
3 1월~5월	3	2023-01-03	Tue	Jan	SAS-L2056	4.62	1	SAS

4) 공정 능력 분석을 위해 Parameter 변수에 Spec(4~5) 입력
⌐ Parameter 변수명 위에서 우측 마우스 클릭, **Column Property / Spec Limits** 에서 Spec 을 입력한다.

[그림 8]

Spec Limits
Spec Limits are specification limits that are used in various platforms such as Process Capability, Distribution, and Process Screening. Click below to key in values.

Lower Spec Limit	4
Target	.
Upper Spec Limit	5

☑ Show as Graph Reference Lines

3. 공정 능력 관점에서의 몇 가지 분석

Parameter 변수에 대해 다음과 같은 몇 가지 분석을 실시해 보자.
1) 장비별 Parameter 비교(Boxplot)
2) 요일별 Parameter 값의 차이 비교(ANOVA)

3) 관리도(Phase 구분)

4) 공정 능력 분석(장비 또는 Phase 별 차이 확인)

✍ 먼저 장비별 Parameter 값을 비교해 보면 큰 차이가 없는 것으로
추정된다**(Graph / Graph Builder)**.

[그림 9]

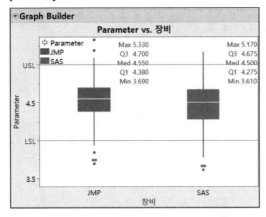

✍ ANOVA 를 이용하여 요일별 Parameter 값의 차이 비교해 보면 요일별로
유의한 차이는 없는 것으로 확인된다**(Analyze / Fit Y by X)**.

[그림 10]

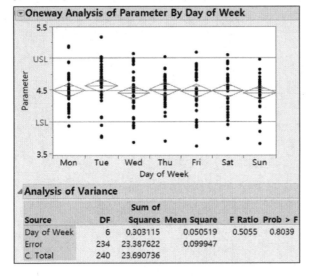

[🖑] 관리도를 통해 시간의 흐름의 따른 Parameter 값의 안정성을 **Control Chart Builder** 를 통해 확인해 보자. 먼저 I-MR 관리도를 그려보면 전반부에 비해 후반부가 좀 더 안정적인 모습을 보이고 있고, 재료 변경이 발생한 Phase 2, 4 월 부근에서 Parameter 값이 작게 측정되다가 다시 측정값이 커지고 있다

[그림 11]

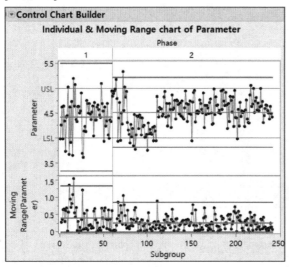

Month 변수를 **Subgroup Zone** 에 드롭하여 월별 평균값의 변화를 확인해 보면 4 월에 측정값이 매우 낮아졌고 5 월 이후부터는 관리 상한 쪽에 타점된다.

[그림 12]

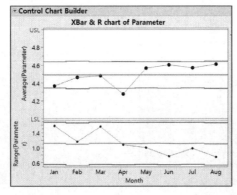

만약 Lot 등 일정한 Subgroup Size 를 가진다고 가정할 수 있으면 ▼**Control Chart Builder / Set Subgroup Size** 를 활용할 수 있다.

Xbar 관리도 기준으로 살펴보자. Subgroup Size 5 를 가정하여 살펴보면 Subgroup 17 번 이전까지는 상당히 불안정한 모습을 보이다가 그 이후부터는 관리 하한선을 이탈하는 작은 값은 보인다. 그런 다음 Subgroup 23 번 데이터부터 갑자기 큰 값을 보인 후 일정 기간 안정적인 모습을 보이다가 36 번 Subgroup 즈음에서 다시 불안정한 모습을 보이고 있다. 반면 R 관리도 기준에서 보면 전반적으로 안정적이며 산포(Range)가 시간이 지남에 따라 작아지는 경향이 있다.

[그림 13]

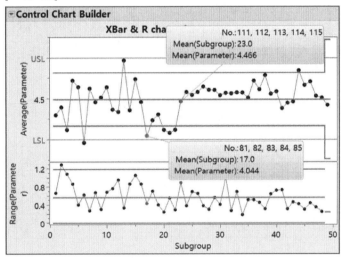

🖐 Subgroup Size 5 를 기준으로 공정 능력 분석을 해 보면 Ppk 가 0.522 이고 추정불량율(Expected Overall %)가 11.164%로 공정 능력의 개선이 필요한 상황이라 할 수 있다.

[그림 14]

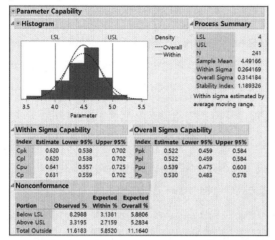

Local Data Filter 기능 등을 활용하여 장비간 및 재료 변경 전후 단계 (Phase)에 따른 공정 능력의 차이를 확인해 보면, 장비간 차이는 크지 않으나 재료 변경 전후의 공정 능력의 차이는 꽤 큰 것으로 분석된다.

[그림 15]

Phase	Portion	Observed %	Expected Within %	Expected Overall %
1	Below LSL	16.6667	9.5461	12.4949
1	Above USL	6.6667	3.6131	5.6901
1	Total Outside	23.3333	13.1592	18.1850
2	Below LSL	5.5249	1.1617	3.9082
2	Above USL	2.2099	1.6294	4.8593
2	Total Outside	7.7348	2.7912	8.7675

4. Script 를 활용한 분석 과정 자동화

JMP Script 를 활용하면 필요한 분석 과정을 자동화할 수 있다. JMP Script 를 활용하는 방법 중 가장 간단한 방법은 **Workflow Builder** 기능을 활용하는 것이다.

🖑 **Workflow Builder(File / New / Workflow)** 화면을 열고 붉은 색
Recording 버튼을 클릭한 다음 앞에서 설명한 일련의 과정을 진행하면
그 결과가 **Workflow steps** 에 기록된다.

[그림 16]

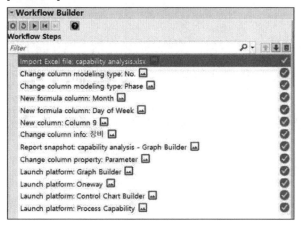

🖑 자동화가 필요한 Steps 을 선택하고 ▼**Workflow Builder / Save to Script
Window** 를 클릭하면 일련의 과정에 대한 Script 가 하나의 파일로
저장된다.

[그림 17]

```
1  Names Default To Here( 1 );
2
3  //Import Excel file: capability analysis.xlsx
4  Open(
5      "/C:/JMP(Shinikju)/JMP Book/JMP를 활용한 통계적 공정 관리/capability anal
6      Worksheets( {"1월~5월", "6월~8월"} ),
7      Use for all sheets( 1 ),
8      Concatenate Worksheets( 1 ),
9      Create Concatenation Column( 1 ),
10     Worksheet Settings(
11         1,
12         Has Column Headers( 1 ),
13         Number of Rows in Headers( 1 ),
```

이 Script 를 실행해 보면 앞에서 살펴본 일련의 과정이 One Click 으로
실행된다[45].

---

5. Dashboard 및 관련 Add-in 의 활용

분석 결과에 대해 **Dashboard** 를 만들어 활용할 수도 있는 데 이에 대해 살펴보자.

⊙ **Dashboard** 를 만들 필요가 있는 분석 결과에서 연 상태에서 **File / New / Dashboard** 를 선택하고 적절한 Templates 를 선택한다.

⊙ 필요한 Report 를 선택하여 오른쪽 **Dashboard** 란에 드롭한다.

[그림 18]

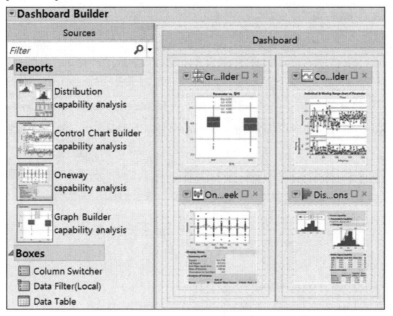

⊙ 상단의 **Run** 버튼을 클릭하면 다음과 같이 Dashboard 화면이 활성화된다.

[그림 19]

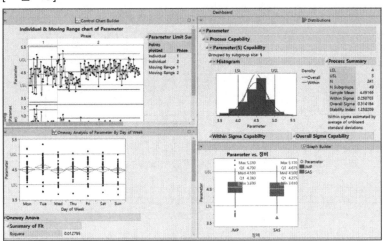

이러한 Dashboard 기능을 활용하면 Script 를 활용한 분석 과정 자동화를
보다 시각적으로, 효과적으로 할 수 있을 것이다.

JMP 는 **User Community(community.jmp.com)**을 통해 다양한 기능에 대해
Add-in 을 만들어 공유하고 있다. 이러한 Add-in 을 활용하면 현재의 JMP 에
채택되지 않은 기능을 활용하거나, 현재의 JMP 에 있는 기능일 경우에도 다른
방식으로 그 기능을 구현할 수 있다.

예시적으로 **Capability Explorer**[46] 라는 Add-in 을 활용해 보자.
🖰 **Add-ins / Capability Explorer** 에서 아래와 같이 선택하면,

[그림 20]

---

[46] 아래 링크에서 Add-in 을 다운받아 JMP 에 추가할 수 있다.

https://community.jmp.com/t5/JMP-Add-Ins/Capability-Explorer/ta-p/672338

아래와 같이 JMP 의 기능을 보다 다양한 관점에서 한 화면에서 살펴볼 수 있다.

[그림 21]

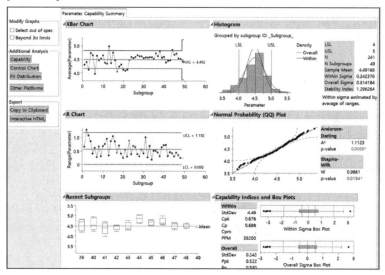

2. Bakery Shop 에 통계적 공정 관리 적용

두 번째 사례는 Bakery Shop 에 통계적 공정 관리를 적용한 사례로서 다음의 세 가지 데이터를 통해 Bakery Shop 의 업무 프로세스의 안정성 및 변동성을 탐색해 보고자 한다[47].
1) 주문 데이터
2) 제품 제조 데이터
3) 오븐 센서 데이터

1. 주문 데이터에 대한 분석

Bakery Shop 에서는 통계적 공정 관리 기술을 활용하여 그들의 프로세스를 모니터링하기로 하고 지난 두 달 동안의 일부 주문 데이터를 확보하였다.
이 데이터는 다섯 가지 컵케이크, 네 가지 쿠키의 일별 주문 수량 및 전체 컵케이크와 전체 쿠키의 일별 주문 수량을 포함하고 있다.

[그림 22] 'bakery orders.jmp'

	Date	Vanilla	Lemon	Raspberry	Chocolate	Strawberry	Cupcake Total	Chocolate Chip	Peanut Butter	Snickerdoodle	White Chocolate Macadamia Nut	Cookie Total
1	04-03-2016	6	5	2	12	4	29	65	45	41	35	186
2	04-04-2016	6	7	2	11	4	30	73	31	36	61	201
3	04-05-2016	7	4	4	12	4	31	66	38	29	56	189
4	04-06-2016	3	6	1	6	5	21	64	26	26	53	169
5	04-07-2016	6	7	4	10	2	29	65	39	32	49	185

관리도를 활용하여 다음을 분석하고자 한다.
1) 시간 경과에 따라 주문의 변동성이 있는가?

---

[47] 본 사례는 JMP 의 온라인 공개 교육의 내용을 일부 수정하여 재정리한 내용이다. 원본 내용은 JMP User Community(community.jmp.com)에서 Learn JMP / On-Demand Courses / Statistical Process Control 에서 확인할 수 있다.

2) 추가적인 마케팅 노력이 없다고 가정할 경우 가장 많이 팔릴 것으로 예상되는 컵케이크와 쿠키의 수량은 얼마인가?

위의 사항에 대해 확인하기 위하여 다음과 같이 분석을 해보자. 각 제품의 주문은 정수(integer)로 포아송(poisson) 분포를 따르므로 C 관리도로 분석할 수 있다.

☞ 먼저 컵케이크 전체와 쿠키 전체에 대해 변동성을 확인해 보자. **Analyze / Quality and Process / Control Chart Builder** 에 들어가서 Cupcake Total 변수를 드롭한다. **Shewhart Attribute** 로 변경하고 **Statistic** 에서 **Proportion** 을 **Count** 로 변경하면 C 관리도가 출력된다. Cookie Total 변수를 선택하고 **New Y Chart** 를 클릭하면 Cookie Total 에 대한 C 관리도가 추가된다.

[그림 23]

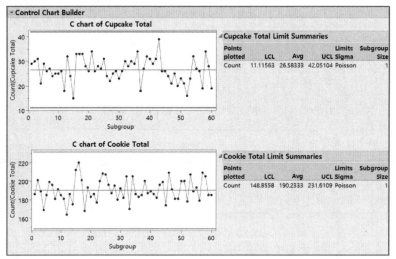

두 변수의 데이터 모두 관리선 범위 내에 있다. 그러므로 주문 수량은 안정적이라 볼 수 있으며 관리 상한선을 확인해 보면 각각 42.05, 231.61 이다. 이 경우에는 관리 상한선을 하루에 판매할 수 있는 최대 수량으로 볼 수 있다. 이 숫자를 기준으로 주문할 재료의 수량이나 인력 책정을 할 수 있을 것이다.

개별 제품별 주문 수량의 안정성을 확인해 보고자 한다면 **Column Switcher**
기능을 활용해 볼 수 있을 것이다. 대부분의 제품은 주문 수량이 안정적이나
White Chocolate Macadamia Nut 과 같은 일부 제품은 관리선을 벗어나는
데이터가 일부 있다.

[그림 24]

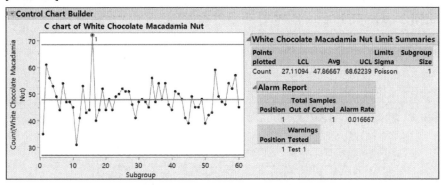

2. 제품 제조 데이터에 대한 분석

Bakery Shop 의 주요 제품 중의 하나는 웨딩 케이크인데 케이크의 크기와
밀도가 고르지 않다는 불평이 많아 최근 케익 200 개에 대한 데이터를
수집하였다.

[그림 25] 'Wedding cakes.jmp'

Sequence Number	Order Number	Cake Type	Oven	Position	Pan	Baker	Height	Weight
200	1651	1	2	1	13	Monica	2.54	257
	1843	5	1	2	24	Mark		
	2205	12	3	3	3	Dan		
	3954			4	16			
	4304				46			
	4501				6			
	5044				11			
	5089				42			
	6871				1			
	7351				20			
	7370				5			
	7882				9			
	186 others				36 ...		1.69	231
1	1977	3	1	1	6	Monica	2.30	232.5
1	1977	3	1	2	42	Monica	2.06	240.2
1	1977	3	1	3	27	Monica	2.10	236.2
2	1554	5	2	1	4	Mark	2.03	250.0
2	1554	5	2	2	3	Mark	2.22	243.8

각 변수에 대한 설명은 다음과 같다.

1) Sequence Number : 케익 번호, 1 번~200 번

2) Order Number : 주문 번호

3) Cake Type : 케이크의 층 수

4) Oven : 사용한 오븐 번호. 1 번~3 번

5) Position : 오븐 내에서 사용된 위치, 1 번~4 번

6) Pan : 사용된 팬, 1 번~48 번 48

7) Baker : 베이커 이름

8) Height : 케이크 중앙의 높이(인치)

9) Weight : 케이크의 무게(그램)

🖱 먼저 Height 및 Weight 변수의 변동성을 확인해 보기 위하여 두 변수에 대해 **I-MR 관리도**를 그려보면 두 변수 모두 관리선을 벗어나는 데이터가 일정 정도 존재한다.

[그림 26]

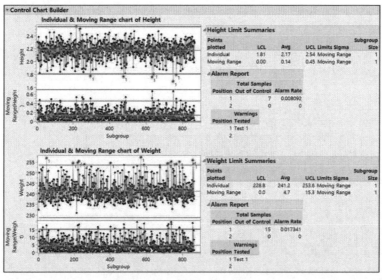

🖱 다섯 개의 층별 변수(Cake Type ~ Baker)의 영향을 파악하기 위해 각 층별 변수를 하나씩 **Phase Zone** 에 드롭해 보면 다른 세 변수에 비해 Oven 및

236

Position 변수의 영향이 크다는 것을 알 수 있다.

[그림 27] Oven 변수에 따른 영향

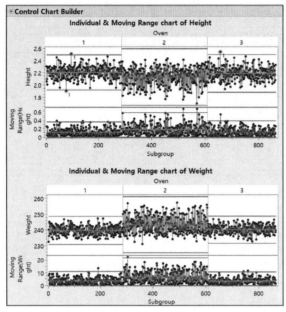

[그림 28] Position 변수에 따른 영향

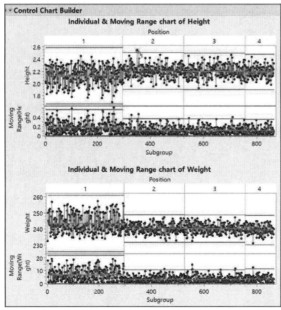

Oven 및 Position 변수의 영향을 보다 명확하기 파악하기 위해 **Phase Zone** 에 드롭한 변수를 모두 제거한 후, 두 변수를 한꺼번에 **Subgroup Zone** 에 드롭하면 X-Bar R 관리도가 생성된다. 변동성의 주요인이 2 번 Oven, 1 번 Position 임을 보다 명확하게 확인할 수 있다.

[그림 29]

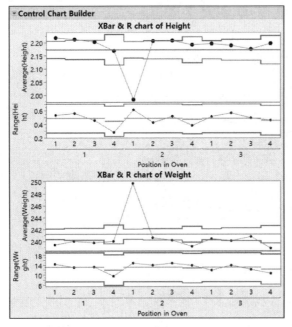

 [그림 29]와 같은 분석 결과는 두 변수를 결합한 변수를 생성하는 방법으로도 분석 가능하다. 두 변수 선택 후 **Cols / Utilities / Combine Columns** 에서 아래와 같이 설정하면,

[그림 30]

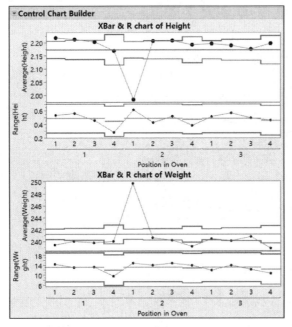

☝ 데이터 테이블에 두 변수를 결합한 새로운 변수가 생성된다[48].

[그림 31]

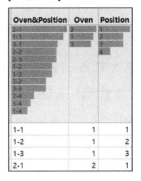

☝ 아래 관리도는 **Height** 변수에 대해 I-MR 관리도를 그리고, 새롭게 결합한 변수를 **Phase Zone** 에 드롭한 결과이다. 2 번 Oven 과 1 번 Position 의 변동성이 명확하게 확인된다.

[그림 32]

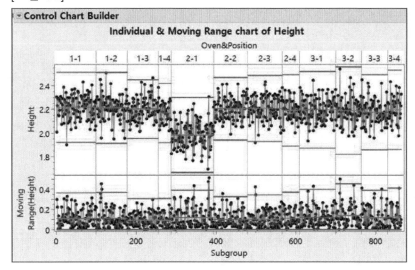

---

[48] 이 방법 외에도 두 변수를 결합(concatenate)하는 formula 를 활용할 수도 있다.

Char(Oven) || Char(Position)

앞에서 살펴본 방법 외에도 다양한 방법으로 이 데이터를 분석할 수 있는 데, 활용 가능한 JMP 기능을 몇 가지 더 살펴보자.

🖰 아래는 **Graph Builder** 에서 Height, Weight 변수에 대해 Histogram 을 그린 다음(**Histogram Style : Polygon**), 층별 변수를 **Overlay Zone** 에 드롭하고 **Column Switcher** 기능을 통해 층별 변수별 영향도를 파악하는 방법이다.

[그림 33]

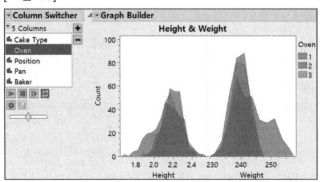

🖰 **Variability Chart(Analyze / Quality and Process / Variability/Attribute Gauge Chart)** 또한 활용될 수 있을 것이다. 아래는 Weight 변수에 대해 Baker, Position 및 Oven 변수를 층별 변수로 하여 **Variability Chart** 를 그린 것이다.

[그림 34]

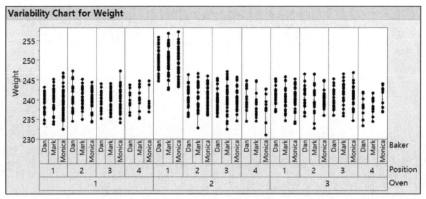

🖐 층별 변수별로 Height 및 Weight 변수에 대한 통계량을 확인해 보고자 한다면 **Analyze / Tabulate** 기능을 활용할 수 있다. 아래는 [그림 30]에서 살펴본 Oven 및 Position 변수를 결합한 변수 기준으로 Height 및 Weight 변수에 대해 몇 가지 통계량으로 정리해 본 결과이다.

[그림 35]

Tabulate								
	Height				Weight			
Oven&Position	Mean	Std Dev	Min	Max	Mean	Std Dev	Min	Max
1-1	2.218	0.0987	1.90	2.43	239.42	3.0242	232.5	246.7
1-2	2.213	0.1029	1.95	2.51	240.02	2.8034	234.3	247.3
1-3	2.203	0.0971	2.01	2.47	239.77	2.6556	234.1	247.3
1-4	2.169	0.0800	2.02	2.29	240.01	2.7869	235.2	244.7
2-1	1.983	0.1097	1.69	2.30	249.69	3.2278	242.5	257.2
2-2	2.206	0.0934	1.99	2.41	240.61	2.9928	232.8	246.6
2-3	2.208	0.0981	1.92	2.43	240.20	3.1230	232.4	247.1
2-4	2.192	0.0931	2.00	2.38	239.18	3.0933	231.0	244.8
3-1	2.196	0.0985	1.93	2.44	240.44	2.7498	233.9	245.8
3-2	2.190	0.1112	1.97	2.54	240.13	2.7861	232.6	246.5
3-3	2.176	0.1070	1.96	2.45	240.81	2.7897	234.6	246.8
3-4	2.198	0.1101	1.98	2.43	238.88	2.6471	233.3	244.0

3. 오븐 센서 데이터에 대한 분석

지금까지 분석된 정보를 바탕으로 웨딩 케이크의 공정을 개선한 후 오븐 내 공기 흐름을 측정하기 위해 모든 오븐에 센서를 설치하였다. 일관된 케이크 층을 형성하기 위해서는 일관된 공기 흐름이 필요하다. 공기 흐름이 너무 낮아지면 팬이 1 분동안 자동으로 켜졌다가 다시 공기 흐름이 낮아질 때까지 꺼진다. 따라서 공기 흐름은 일반적으로 2 분(팬이 켜진 상태에서 1 분, 꺼진 상태에서 1 분)동안 사인파(sine wave)를 따른다. 또한 센서는 2 분 간격으로 이상적인 공기 흐름과 현재 공기 흐름과의 차이를 자동으로 기록한다.

🖐 처음 네 번의 프로세스에 대해 **누적합 관리도(CUSUM Chart)**를 그려보자. **Target** 값을 0 으로 설정하고 첫 네 번의 실행에서 신호가 발생하는 않도록 **k** 값(여기서는 0.8 을 사용)을 사용한다.

[그림 36] 'Bakery-sensor(1~4).jmp'

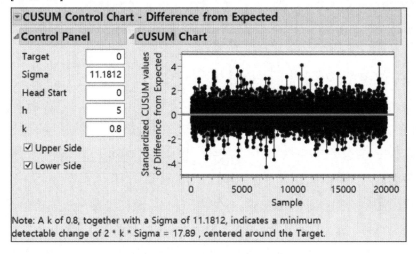

	Run	Oven	Position	OvenPosition	Seconds from start of run	Airflow	Difference from Expected
1	1	3	1	31	0	231.418263	5.60161855
2	1	3	1	31	1	242.263634	3.38418988
3	1	3	1	31	2	262.715621	10.3290344
4	1	3	1	31	3	264.921416	-1.3794077

🖱 **Analyze / Quality and Process / Control Chart / CUSUM Control Chart** 에 들어가서 **Difference from Expected** 변수를 Y 로 선택한다. **Target** 에 0, **k** 에 0.8 을 입력한다.

[그림 37]

CUSUM Control Chart - Difference from Expected

Control Panel

Target	0
Sigma	11.1812
Head Start	0
h	5
k	0.8

☑ Upper Side
☑ Lower Side

CUSUM Chart

Note: A k of 0.8, together with a Sigma of 11.1812, indicates a minimum detectable change of 2 * k * Sigma = 17.89 , centered around the Target.

🖱 그런 다음, 누적합 관리도(CUSUM Chart)를 전체 데이터(Bakery-sensor(total).jmp)에 적용하여 분석해 보자. **Analyze / Quality and Process / Control Chart / CUSUM Control Chart** 에 들어가서 Difference from Expected 변수를 **Y** 로 선택한다. 그런 다음, [그림 37]의 **Target**, **Sigma**, **k** 값을 입력한다.

[그림 38]

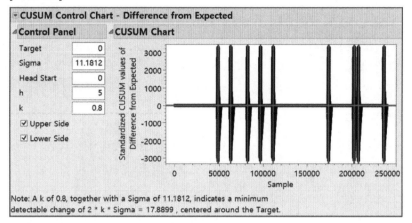

9 개의 개별적인 이벤트가 확인된다.

🖱 개별 이벤트에 대한 추가적인 확인을 위해 **Graph Builder** 를 활용한다. Difference from Expected 를 **Y zone** 에, Seconds from start of run 를 **X zone** 에 드롭한 다음, OverPosition 변수를 **Color zone** 에 드롭하고 그래프 종류로 **Smoother** 를 해제하고 **Points** 만 선택한다.

[그림 39]

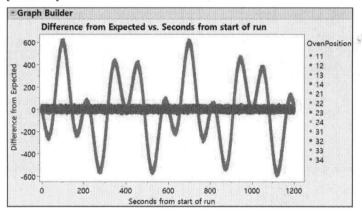

작은 차이는 Noise 라고 보기 어렵지만, 데이터의 주기성이 보인다. 앞에서 살펴본 것처럼 2 번 Oven, 1 번 Position 때문인 지 확인해 보자.

◌ **Local Data Filter** 기능을 활용하여 OvenPosition 에 따른 차이를 확인해 보면, 다른 모든 OvenPosition 은 11 번 OvenPosition 처럼 특이 사항이 없으나,

[그림 40]

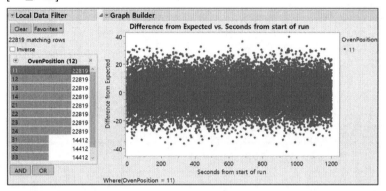

오로지 21 번 OvenPosition 만 데이터의 주기성이 확인된다.

[그림 41]

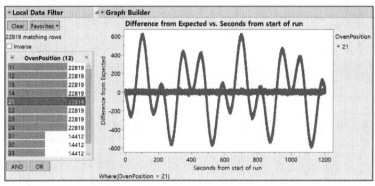

◌ [그림 41]을 보면 주기성을 보이는 데이터는 모두 21 번 OvenPosition 데이터이지만 21 번 OvenPosition 에도 이런 주기성을 보이는 않는 데이터가 있다. 이를 확인해 보기 위해 Run 변수에 대해 분석해 보자. 데이터 테이블을 확인해 보면 21 번 OvenPosition 은 모든 Run 이 아니라 일부 Run 에 대해서만 측정되었다.

🖑 [그림 41]의 결과에서 **Local Data Filter** 패널 하단의 AND 버턴을 클릭하여 Run 변수를 Filter 변수로 추가하여 살펴보면 2 번 Run 등은 데이터가 안정적이지만,

[그림 42]

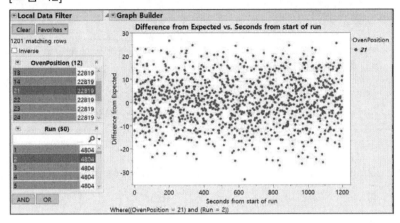

11 번, 14 번, 18 번, 21 번, 24 번, 37 번, 43 번, 44 번 및 50 번 Run 은 주기성을 보인다.

[그림 43]

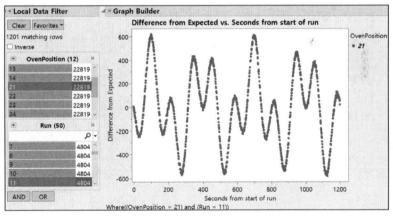

🖑 문제를 보다 자세히 확인하기 위해 Airflow 변수를 Y 에 추가적으로 드롭해 보자. 문제가 없다면 [그림 44]처럼 사인파의 주기가 2 분이 되어야 한다.

[그림 44]

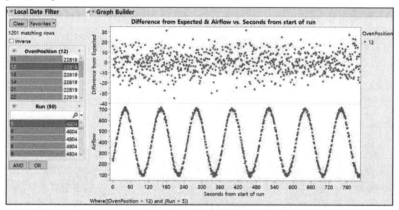

OvenPosition 21 번의 경우 일부 Run 에서 사인파의 주기가 5 분
정도로 추정된다. 지금 즉시 팬을 수리 또는 교체를 해야 할 시점이다.

[그림 45]

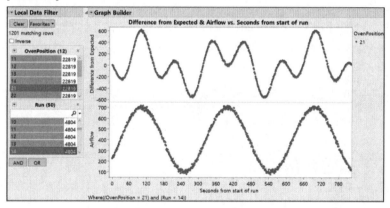

3. 제약 회사의 통계적 공정 관리

이번에는 제약 회사의 통계적 공정 관리 사례에 대해 살펴보자[49].
이 사례는 다음의 두 가지 내용을 포함하고 있다.
1) 관리도와 공정 능력 분석을 통한 현상에 대한 확인
2) 새로운 측정 시스템에 대학 확인

FVM 사는 완제품 제조를 전문으로 의약품 제조 회사로서 정제(tablets), 캡슐(capsules) 및 액체(liquids) 제품에 대한 계약 제조를 제공한다. 제약 제조 회사이므로 제조 공정에는 활성 제약 성분(API : active pharmaceutical ingredient)을 균일한 입자 크기로 분쇄하는 작업이 포함된다. 그런 다음 분쇄한 재료를 다른 성분과 혼합하여 대량으로 균일하게 분배한다. 이 혼합된 물질은 정제(tablets)로 압축된다. 프로세스가 완료되면 CTQ(Critical to Quality) 지표를 포함한 다양한 품질 패러미터를 통해 Batch 승인 과정이 진행된다.
이 공정은 두 가지 화합물을 함유한 원료로 시작된다. 원료는 두 업체로부터 공급되며, 입고 시에 리터당 밀리그램(mg/l) 단위로 그 농도를 측정하고 모니터링한다. 매일 각 공급업체로부터 2 개의 Batch 로 원료 투입 재료가 공정으로 전해진다.
크로마토그래피(chromatography) 과정은 혼합물을 분리하기 위한 실험실 기술이다. 이런 기술 중에서 FVM 사는 가스 크로마토그래피(GC : gas chromatography)를 사용하고 있다.

---

[49] 본 사례는 JMP Homepage 에 있는 Case Study Library 의 Case 중 'Manufacturing Excellence at Pharma Company(Part 1,2,3)'의 내용을 일부 수정하여 재정리한 내용이다.
https://www.jmp.com/en_us/academic/case-study-library.html 에서 확인할 수 있다.

1. 현상에 대한 확인

품질 팀은 최근 약물의 품질에 상당한 변동이 있음을 관찰하고, 이 문제를 해결하기 위해 TFT 를 구성하였고 팀장인 Lawrence 는 프로세스 변화의 원인을 파악하고 공정 안정성을 향상하기 위하여 데이터를 수집하였다.

데이터에 포함된 내용은 다음과 같다.

1) Day : 데이터가 측정된 날(8 일간 측정)

2) Batch : Batch 일련번호(일 2 batch, 총 16 batch)

3) Vendor : 공급사 A, B

4) Compound 1 과 2 : mg/l 단위로 측정된 화합물 1 과 2

[그림 46] 'compound data by vendor'

Day	Batch #	Vendor	Compound 1 (mg/l)	Compound 2 (mg/l)
1 2 3 4 5 6 7 8	1 2 3 4 5 6 7 9 others	A B	476 118	570 304
1	1	A	372	477
1	1	B	306	437
1	2	A	410	509
1	2	B	352	454
2	3	B	257	365

TFT 에서는 위의 데이터를 기반으로 다음과 같은 측면을 분석하고자 하였다.

1) 이 데이터는 정규성을 가정할 수 있는가 ?

2) Day, Batch, Vendor 중에서 화합물 데이터 변동성의 주원인은 무엇인가?

3) 프로세스가 안정적(stable, under control)이라고 할 수 있는가?

4) 공정 능력은 충분한가(Cpk 1.33 이상) ?

5) 두 공급사 중에서 어느 공급사의 혼합물이 보다 Spec 을 잘 충족하는가?

6) 다변량 관점에서 볼 때 공정은 안정적인가?

7) 안정성 및 공정 능력의 관점에서 두 공급사가 취해야 할 조치는 무엇인가?

8) 어떤 조치가 추가적으로 권고되는가?

대부분의 통계적 분석 방법은 데이터가 정규 분포함을 전제함으로 먼저 두 혼합물 데이터에 대한 정규성 검정(Normality Test)를 해 보자. **Analyze / Distribution** 에서 두 변수를 선택하여 실행한 다음, (두 변수에 대해 한꺼번에 실행하기 위해 **Ctrl Key** 를 누른 상태에서) 두 변수 중 한 곳에서 **▼Compound ~ / Continuous Fit / Fit Normal** 을 클릭하고 **▼Fitted Normal Distribution / Goodness of Fit** 를 선택한다.

두 변수 모두 P Value 가 0.05 보다 크므로 정규성을 전제할 수 있다.

[그림 47]

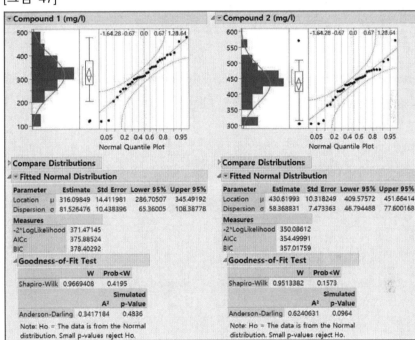

Day, Batch 그리고 Vendor 중에서 화합물 데이터 변동성의 주원인이 무엇인지를 살펴보기 위하여 **Header Graph** 를 살펴보았다[50].

Header Graph 에서 변수별로 관심 영역을 클릭하여 살펴본 결과 두

---

[50] 이 기능은 Analyze / Distribution 에서 Histogram Only 를 선택한 결과와 동일하다.

가지를 확인할 수 있다.

1) 두 공급업체의 공급량은 Day 별 및 Batch 별로 동일하게 사용되었다.

2) 같은 날이라 하더라도 Batch 에 따라 두 혼합물 데이터는 큰 차이를 보인다.

[그림 48]

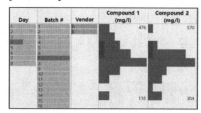

🖑 **Graph Builder** 에서 Day 를 **X** 로, 두 Compound 를 **Y** 로하여 Boxplot 을 그려보면, 일부 날짜에서 데이터의 변동성이 큼을 확인할 수 있다.

[그림 49]

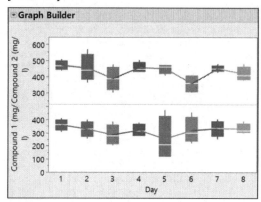

🖑 다음은 **Control Chart Builder** 기능을 활용하여 프로세스의 안정성을 살펴보기로 하였다. **Column Property** 에 Spec 이 미리 입력되어 있으면 **Control Chart Builder** 에서 공정 능력을 함께 살펴볼 수 있으므로 Spec 을 미리 입력하였다. Spec 은 Compound 1 의 경우 100 ~ 500 이고, Compound 2 는 300 ~ 600 이다.

먼저 Compound 1 에 대해 살펴보자. **Control Chart Builder** 에서 Batch 를 **Subgroup zone** 에 드롭하여 **Xbar R** 관리도를 생성하였다.

부분군 평균을 나타내는 Xbar 관리도를 보면 모든 점이 관리 한계선 내에 있으므로 안정적이라 할 수 있는 반면, 부분군 산포를 표현하는 R 관리도를 보면 10 번 Batch 에서 관리 한계를 벗어났음으로 이상 원인의 존재 가능성을 의심해 보아야 한다.

[그림 50]

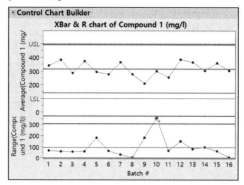

[그림 51]은 관리도와 함께 출력된 Compound 1 에 대한 공정 능력 분석 결과이다. Cp 값과 Cpk 값의 차이가 그다지 크지 않음으로 평균이 Spec 중심으로 멀리 벗어나 있지는 않으나, Cpk 가 0.74 수준으로 목표(Cpk 1.33 이상)보다 많이 부족한 상황이다. 추정되는 부적합률이 2%에 가까우므로 개선이 요구되는 상황이다.

[그림 51]

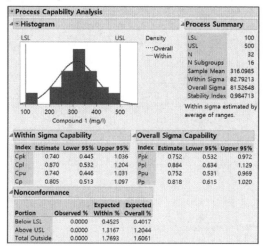

동일한 방식으로 Compound 2 에 대해 살펴보면 Xbar-R 관리도에서는 11 번 Batch 에서 관리 이탈이 발생하였고, R 관리도에서는 Batch 5 번이 관리한계를 초과하였다. Cpk 값(1.005) 또한 Spec 을 충분히 만족하고 있지 못함을 보여준다.

[그림 52]

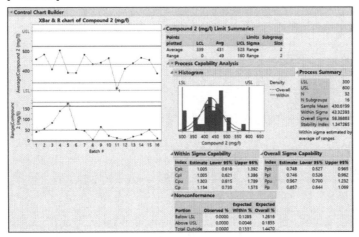

 이번에는 두 공급사의 혼합물을 비교해 보자. 이를 위해서는 Vendor 변수를 **Phase zone** 에 드롭하면 된다. [그림 53]은 그 결과로서 관리선과 Spec 이 모두 표시되어 있다. 공급사 A 가 B 보다 좀 더 자연적인(natural) 변동이 많으며, 우연원인에 의한 변동이 더 커서 관리한계선이 보다 넓게 설정되어 있다. 공급사 B 는 전체적으로는 A 보다 우연원인으로 인한 변동이 작지만 일부 Batch 에서 이상원인의 발생이 의심된다.

[그림 53]

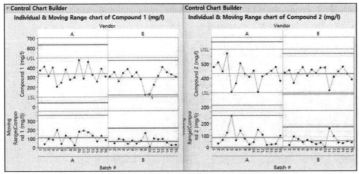

이번에는 두 가지 혼합물의 상호 연관성을 고려한 다변량 관리도를 활용해 보자. **Analyze / Quality and Process / Model Driven Multivariate Control Chart** 에서 다음과 같이 설정한다.

[그림 54]

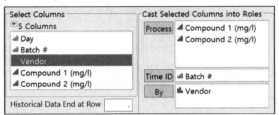

다변량 관리도를 보면 공급사 A 의 경우 T2 값이 관리 한계 내에 있지만 공급사 B 의 경우는 Batch 9, 10, 11 번에서 T2 값의 급격한 증가를 보이므로 다변량 관점에서의 불안정성이 확인된다.

[그림 55]

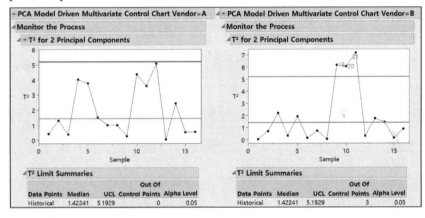

이와 같은 정보는 [그림 56]에서 볼 수 있는 것처럼 다른 그래프를 통해서도 일정 정도 확인할 수 있다.

[그림 56]

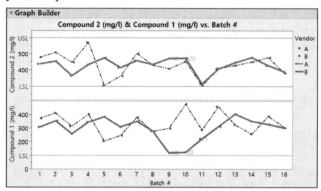

✎ 이번에는 공급사 별로 두 혼합물에 대한 공정 능력 분석을 해 보자. **Analyze / Quality and Process / Process Capability** 에서 두 혼합물을 Y 로 선택하고 오른쪽 패널에서 두 변수를 선택한 다음, Vendor 변수를 By 에 드롭한다. 그런 다음 두 공급사의 분석 결과에서 ▼**Process ~ / Goal Plot** 및 **Process Performance Plot** 을 선택한다.

[그림 57]은 공급사 A 에 대한 결과이다. 가장 이상적인 상태(**Capable and Stable**)은 두 Plot 의 녹색 부분이고 일반적으로 활용되는 Ppk 1.0, Stability index(안정성 지수) 1.25 기준을 활용하였다. 공급사 A 의 경우는 안정성은 나쁘지 않으나 공정 능력은 좋지 못하다고 할 수 있다.

[그림 57]

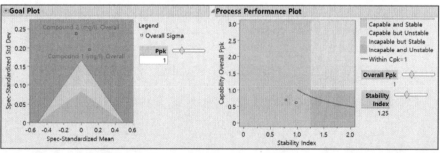

[그림 58]은 공급사 B 에 대한 결과이다. 혼합물 1 은 Incapable and

unstable 영역에 속하고, 혼합물 2 는 Incapable and stable 영역에 속한다.

[그림 58]

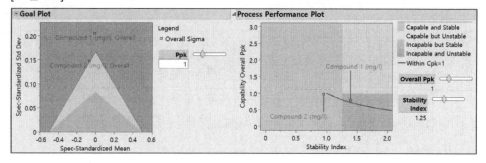

▼**Process ~ / Summary Report** 기능 등을 활용하여 두 공급사, 두 혼합물에 대한 공정 능력 분석 결과를 요약해 보면 다음과 같다.

[그림 59]

Vendor	Process	LSL	Target	USL	Sample Mean	Overall Sigma	Stability Index	Ppk	Ppl	Ppu	Pp
A	Compound 1 (mg/l)	100	•	500	336.65	78.09	0.79	0.697	1.010	0.697	0.854
A	Compound 2 (mg/l)	300	•	600	431.82	71.29	0.98	0.616	0.616	0.786	0.701
B	Compound 1 (mg/l)	100	•	500	295.54	82.08	1.39	0.794	0.794	0.830	0.812
B	Compound 2 (mg/l)	300	•	600	429.42	44.22	0.95	0.976	0.976	1.286	1.131

앞에서 살펴본 분석 결과를 바탕으로 어떤 추가적인 조치를 고려해 볼 수 있을까? Lawrence 팀은 다음과 같은 몇 가지 조치를 취하기로 하였다.

1) I-MR 관리도와 다변량 관리도를 사용하여 두 공급사의 원자재 품질과 매개변수를 모니터링하기로 하였고 두 공급사에게 동일한 관리도를 사용하여 프로세스 변동을 모니터링하도록 권고하였다.

2) 원료 분석 빈도를 높이고 불안정하다고 판단되면 모든 Batch 에 대해 측정하기로 하였다. 현재의 GC 분석 방법은 분석 시간이 오래 걸려 곤란하므로 새로운 분석 방법인 UHPLC 를 품질 연구실에서 개발 중이다. 다만 UHPLC 방법은 측정 변동성에 크기 때문에 이에 대한 확인과 조치가 필요하다.

3) 최종적인 목표는 UHPLC 방법을 사용하고 Goal Plot 과 Process Performance Plot 을 통해 Overall Process 에 대한 안정성과 공정 능력을 모니터링 하는 것으로 설정하였다.

2. 새로운 측정 시스템에 대한 확인

앞에서 살펴본 바를 요약하면 공급사 A 의 경우는 두 가지 혼합물 모두 안정성은 나쁘지 않으나 공정 능력은 좋지 못하였으며, 공급사 B 의 경우는 혼합물 1 은 안정성 및 공정 능력이 모두 좋지 못하고, 혼합물 2 는 안정적이나 공정 능력은 좋지 못하였다.

이 결과를 바탕으로 Lawrence 팀은 더 빠르고 정밀한 UHPLC 측정 시스템을 적용하기 위하여 이 시스템의 재현성과 반복성을 측정하고자 한다. 실제 작업에 참여하고 있는 3 명의 작업자와 4 개 Batch 에 대해 1 회 반복 측정을 위한 측정 시스템 디자인을 하였다.

☞ 측정 시스템 디자인은 **DOE / Special Purpose / MSA Design** 을 통해 할 수 있다.
아래와 같이 설정 후 **Replicate Runs** 에서 **Completely Randomized** 를 선택하고 하단의 **Make Design** 을 클릭한다.
[그림 60]

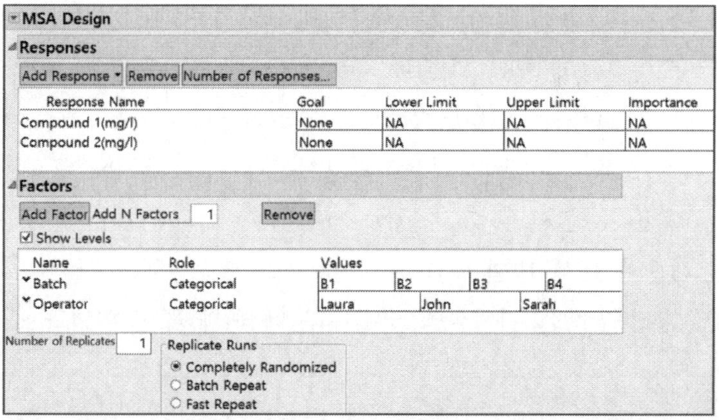

🖱 최종적으로 아래와 같은 **MSA Design** 이 완성된다.

[그림 61] 'MSA Design(UHPLC).jmp'

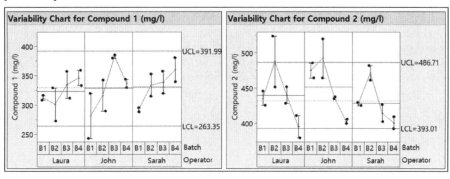

🖱 'MSA Result(UHPLC).jmp' 데이터는 측정 시스템 분석을 위하여 측정 후 데이터를 입력한 결과이다. 먼저 변동성 차트를 활용하여 측정 시스템 간의 변동을 식별하고자 하였다.

Analyze / Quality and Process / Variability/Attribute Gauge Chart 에서 Compound 1 과 2 를 **Y**, Operator 와 Batch 를 **X** 로 드롭한 다음 OK 를 클릭한다. 그 결과에서 **Connect Cell Means**, **Show Grand Mean**, **Show Group Means**, **Points Jittered** 및 **Xbar Control Limits** 을 추가적으로 선택한다.

[그림 62]

Compound 1 의 경우는 John 이 Laura 와 Sarah 보다 측정 변동이 더 크고,

Compound 2 의 경우는 Laura 의 측정 변동이 제일 크다.

🖑 **Analyze / Quality and Process / Measurement System Analysis** 에서 측정 시스템 분석을 해 보자. Compound 1 과 2 를 **Y** 로, Operator 를 **X** 로, Batch 를 **Part** 로 드롭하고 OK 를 클릭한다. 결과에서 **Parallelism Plots, Test-Retest Error Comparison** 및 **EMP Gauge R&R Results** 를 선택한다. [그림 63]에서 **Average Chart** 는 Compound 2 의 John 을 제외하고 모두가 관리한계 안에 존재한다고 볼 수 있으며 **Range Chart** 에서는 모든 데이터가 관리 한계 내에 있으므로 측정 시스템이 동일한 방식과 유사한 변동 수준을 가지고 측정하고 있음을 알 수 있다.

[그림 63]

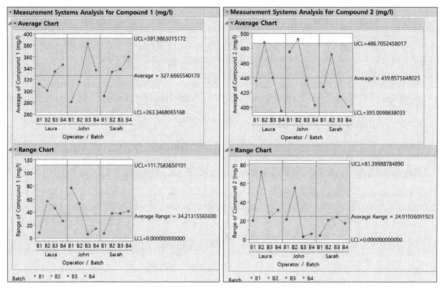

🖑 **Parallelism Plot** 은 측정자별 각 Batch 에 대한 측정값 평균을 나타내는 데, 선이 평행하지 않고 교차점이 많으므로 Compound 1, 2 모두 측정자와 각 Batch 간에 상호 작용이 있다는 결론을 내릴 수 있다.

[그림 63]

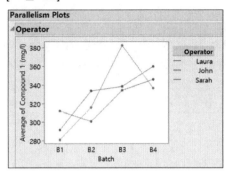
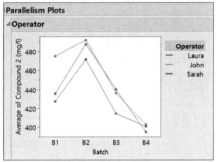

⚓ **EMP Gauge R&R** 의 결과를 살펴보자.

Compound 1 과 Compound 2 의 내용을 보면 측정자간 차이를 뜻하는 재현성은 크지 않지만 반복성(Repeatability)이 각각 56.3%, 26.1% 로 Gauge R&R 관련 대부분의 문제는 반복성에 기인한다고 할 수 있다. 반복 측정에 대한 산포를 줄이기 위한 조치가 필요한 시점이다.

[그림 64]

EMP Gauge R&R Results

Component	Std Dev	Variance Component	% of Total	20406080
Gauge R&R	27.670253	765.6429	56.3	
Repeatability	27.670253	765.6429	56.3	
Reproducibility	0.000000	0.0000	0.0	
Product Variation	24.391369	594.9389	43.7	
Interaction Variation	0.000000	0.0000	0.0	
Total Variation	36.886065	1360.5818	100.0	

EMP Gauge R&R Results

Component	Std Dev	Variance Component	% of Total	20406080
Gauge R&R	22.598991	510.7144	30.7	
Repeatability	20.817847	433.3827	26.1	
Reproducibility	8.793841	77.3316	4.7	
Product Variation	33.928918	1151.1715	69.3	
Interaction Variation	0.000000	0.0000	0.0	
Total Variation	40.766234	1661.8858	100.0	

<참고 자료>

『데이터 분석을 위한 JMP 활용 : JMP 를 활용한 데이터 분석 기초』, 주용한 /
  신익주, 부크크, 2023

『데이터 분석을 위한 JMP 활용 : JMP 를 활용한 실험 계획법』, 주용한 /
  신익주, 부크크, 2023

『데이터 분석을 위한 JMP 활용 : JMP 실무 활용 가이드』, 주용한 / 옥창수 /
  김상현 / 신익주, 부크크, 2021

『Introduction to Statistical Quality Control』, Douglas C. Montgomery 의 한글
  번역판(통계적 품질 관리, 제 8 판, 박창순/이재현 옮김), 자유아카데미, 2022

『https://blog.naver.com/discoveringjmp』, Naver Blog, JMP 활용 데이터 분석

『https://www.youtube.com/@info_iesrnd』, 공학통계연구소

『JMP 사용자 설명서, JMP Documentation Library』, JMP, 2023(JMP 17.2 Version)

『https://community.jmp.com/t5/Learn-JMP/ct-p/learn-jmp』,
  JMP User Community, Learn JMP, Quality and Process Engineering 부분

『https://community.jmp.com/t5/On-Demand-Courses/ct-p/jmp-courses』,
  JMP User Community, Learn JMP, On-Demand Courses 의 SPC

『통계적 품질 관리(SQC)』, 송인식, 한국학술정보㈜, 2018

『Comparison of Approaches to Gauge Repeatability and Reproducibility
  Analysis』, Pavlína Mikulová / Jiří Plura, MATEC Web of Conferences 183, 03015
  (2018)

『공정 안정성 평가를 위한 새로운 척도 지수 개발』, 김정배 / 윤원영 /
  서순근, 품질경영학회지(vol.50, no.3, pp. 473-490), 2022

찾아보기(Index)